Hortense Ullrich

Flippis gehei...

Chaos im

cbj

DIE AUTORIN

Hortense Ullrich ist im Saarland geboren und in Bad Homburg aufgewachsen. Nach ihrem Design-Studium in Wiesbaden arbeitete sie in einer Werbe- und PR-Agentur in Frankfurt. Nachdem sie bei verschiedenen Fachzeitschriften Redakteurin, Ressortleiterin und Chefredakteurin war, entschloss sie sich, Drehbuchautorin zu werden. Inzwischen lebt sie als erfolgreiche Autorin zahlreicher Kinder- und Jugendbücher mit ihrer Familie in Bremen.

Hortense Ullrich

Flippis geheimes Tagebuch
Chaos im Gruselpark

Mit Illustrationen von
Dorothea Tust

cbj

cbj
ist der Kinder- und Jugendbuchverlag
in der Verlagsgruppe Random House

FSC

Mix
Produktgruppe aus vorbildlich
bewirtschafteten Wäldern und
anderen kontrollierten Herkünften

Zert.-Nr. SGS-COC-1940
www.fsc.org
© 1996 Forest Stewardship Council

Verlagsgruppe Random House FSC-DEU-0100
Das für dieses Buch verwendete
FSC-zertifizierte Papier *Munken Print*
liefert Arctic Paper Munkedals AB, Schweden.

1. Auflage
Erstmals als cbj Taschenbuch Juli 2008
Gesetzt nach den Regeln der
Rechtschreibreform
© 2002 by Thienemann Verlag (Thienemann
Verlag GmbH), Stuttgart/Wien
Alle Rechte dieser Ausgabe vorbehalten durch
cbj, München
Umschlagbild: Dagmar Henze
Innenillustrationen: Dorothea Tust
Umschlaggestaltung: schwecke-müller
Werbeagentur GmbH, München
MI · Herstellung: CZ
Satz: KCS GmbH, Buchholz bei Hamburg
Druck und Bindung: GGP Media GmbH,
Pößneck
ISBN: 978-3-570-21923-2
Printed in Germany

www.cbj-verlag.de

Für Leandra und Allyssa –

mit der Bitte um Entschuldigung für
unaufgetautes Mittagessen,
verfärbte und eingelaufene Lieblingssocken,
falsch programmierte Videorekorder,
gekaufte statt selbst gebackene Geburtstagskuchen
die viel strapazierten Sätze »Schau doch mal im Lexikon nach!«
und (bei oberpeinlichen Katastrophen) »Wer weiß, wofür es gut ist!«
na und so weiter, ihr wisst schon.

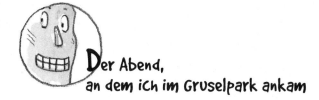

Der Abend, an dem ich im Gruselpark ankam

»Und bitte benimm dich, Flippi!«, sagte meine Mutter mit leidendem Blick.

»Na hör mal, das tu ich doch immer!«, entgegnete ich sofort und blieb empört stehen.

Meine Mutter blieb ebenfalls stehen und öffnete den Mund, um etwas zu sagen. Aber dann wurde ihr Blick noch leidender. Sie seufzte und lief weiter.

Na klasse, das fing ja schon wieder gut an. Ich weiß wirklich nicht, was sie immer hat. Jede kleine Explosion in unserer Küche, jede winzige Überschwemmung in der Wohnung, jeden Zimmerbrand schiebt sie mir in die Schuhe.

»He, Mami«, versuchte ich sie aufzumuntern, als ich sie wieder eingeholt hatte, »sechs Wochen im Gruselpark leben – das ist doch oberklasse!«

Meine Mutter stöhnte. »Ja eben. Das meine ich doch. Bitte stell nichts an. Das ist wirklich eine tolle Chance für mich. Wer weiß, wenn alles gut geht ...«

»Was soll denn schon schief gehen!«, beruhigte ich sie. »Ich bin doch bei dir!«

Meine Mutter nickte ahnungsvoll. »Das ist ja gerade der Punkt, der mich beunruhigt.«

Also, manchmal fällt es mir schon schwer, Geduld mit meiner Mutter zu haben. Aber na ja, sie war etwas nervös, das musste man verstehen. Wir waren nämlich auf dem Weg zur neuen Arbeitsstelle meiner Mutter: dem Gruselpark.

Meine Mutter ist Kostümbildnerin in einem Theater. Bei irgendeiner Aufführung war mal so ein Typ da, dem der Gruselpark gehört. Und weil er die Kostüme, die meine Mutter entworfen hatte, so obergenial gefunden hatte, hatte er meine Mutter engagiert. Und jetzt sollte sie im Gruselpark für sechs Wochen die Leitung der Kostümabteilung übernehmen und den Laden etwas aufpeppen. Und wenn alles gut ging, konnte sie auch auf Dauer die Abteilung im Gruselpark leiten. Das hier war also so was Ähnliches wie eine Probezeit. Meine Mutter fand die Idee prima. Sie konnte sozusagen ohne Risiko einen neuen Job ausprobieren. Das Theater hatte sowieso Sommerpause und wir hatten Ferien.

Wir – das sind meine Schwester und ich. Aber Jojo, die Torfnase, war Gott sei Dank nicht dabei. Sie hatte sich geweigert. Meinte, sie ziehe sowieso nicht um und deshalb gäbe es für sie auch keinen Grund, sich den Gruselmurks anzusehen. Sie war für diese Zeit zu ihrer Patentante gefahren und wollte dort die Sommerferien verbringen.

Man hatte endlich meine Gebete erhört: Ich war Jojo los. Gut, nur für sechs Wochen, aber das war immerhin ein Anfang. Eine große Schwester, die in der Pubertät ist, brauchte ich nämlich wie einen Pickel auf der Nase. Ständig quakt sie nur von Jungs und macht verliebte Kuhaugen.

So was könnte mir nie passieren. Ich hasse Jungs. Jungs sind die Pest!

Meine Mutter wollte mich zuerst gar nicht mitnehmen und hatte verzweifelt versucht, mir den Aufenthalt bei der Tante schmackhaft zu machen. Sie hatte gefleht und gebettelt, dass ich nicht mitkomme, ja sogar gedroht. Aber keine Chance!

Nie im Leben würde ich mir einen Gruselpark entgehen lassen. Ein Gruselpark ist nämlich ein Vergnügungspark. Man muss sich das so vorstellen wie Disney Land. Nur dass eben statt vieler

süßer Mickeymäuse hier Monster, Zombies, Ske-
lette, Leichen, Vampire, Hexen, Henker und so
weiter rumlaufen.

»Wow, guck mal! Ist ja nicht wahr!« Ich blieb wie
angewurzelt stehen, als wir beim Gruselpark angekommen waren.

Das Gelände war umgeben von einer hohen
Mauer. Die Mauer sah bedrohlich aus. Sie war alt
und verwittert und mit Totenschädeln und allerlei
ekligem Zeug verziert. Schon von draußen hörte
man markerschütternde Schreie und in der Däm-
merung wirkten das grelle Licht und der gespens-
tische Nebel echt unheimlich.

Vor dem Eingang des Gruselparks stand ein ge-
schäftsmäßig aussehender Typ, der die Straße ent-
langguckte. Als er uns sah, kam er uns ein paar
Schritte entgegen.

»He, Mami, die Schnarchnase da vorne, ist das
dein neuer Chef?«

»Flippi! Das ist Herr Lilienthal. Er ist der Direk-
tor des Parks. Reiß dich jetzt zusammen!«, zischte
meine Mutter.

»Mach ich doch immer«, stöhnte ich genervt.
Wie oft muss ich dieser Frau denn noch sagen,
dass sie nicht ständig in Panik ausbrechen soll!

»Hallo, Frau Sonntag!« Herr Lilienthal schüttelte meiner Mutter eine Ewigkeit die Hand. »Ich freue mich, dass Sie hier sind.« Dann lächelte er mich wohlwollend an und meinte: »Und das ist sicher Ihre Tochter Filipine. Scheint ja ein reizendes Mädchen zu sein.«

»Sie dürfen Flippi zu mir sagen. Aber reizend hör ich nicht so gern. Auch nett oder entzückend können Sie streichen, wenn Sie über mich reden.«

Meine Mutter schnappte nach Luft und sah ihren zukünftigen Chef entschuldigend an. »Ich weiß auch nicht, woher das Kind ...«

Herr Lilienthal lachte. »Das ist schon in Ordnung. Scheint ja nicht verlegen zu sein, Ihre Tochter.«

Meine Mutter bekam sofort diese ängstlichen Augen und beteuerte schnell: »Sie wird sich benehmen. Sie wird nichts anstellen.«

Was sie bloß immer hat?

»Wissen Sie, es ist gar nicht so einfach, als allein erziehende Mutter ...«, fing meine Mutter gleich an.

Oh nein, bloß nicht diese Leier! Das konnte Stunden dauern.

Um uns allen ihr Gejammer zu ersparen, wandte ich mich an Herrn Lilienthal. »Hey, brauchen Sie vielleicht Schnecken?« Ich hob verheißungsvoll einen kleinen Koffer hoch, den ich meist bei mir habe. Da sind meine Schnecken drin.

»Schnecken?« Er schaute mich verwirrt an.

Ich nickte. »Ja, Schnecken. Ich hab welche dabei. Ich züchte nämlich Gruselschnecken.« Eigentlich waren es ja Kampfschnecken, aber ich dachte, auf Gruselschnecken würde er eher anspringen.

Er wieherte vor Lachen. »Na, die muss ich mir bei Gelegenheit unbedingt mal ansehen.« Dann wandte er sich an meine Mutter. »Aber jetzt zeige ich Ihnen erst mal Ihre Wohnung.«

»Da geht's aber nicht in den Park!«, rief ich, als er sich vom Eingang entfernte.

»Stimmt«, sagte er, »wir gehen um den Park herum, zum Personaleingang.«

Ich zog ein verärgertes Gesicht.

»Du kannst dich morgen im Park umsehen, solange du willst. Ich will euch nur erst mal zu eurer Wohnung bringen und deiner Mutter ihr neues Reich zeigen.«

Ich nickte gnädig. Ich wollte es ihm nicht zu schwer machen. War ja schließlich sein erster Tag mit mir.

»Hm, ich weiß nicht, ob das Kind wirklich morgen alleine in den Park ...« Meine Mutter zögerte.

»Hier passiert nichts«, unterbrach sie Herr Lilienthal, »keine Sorge. Uns ist noch kein Kind abhanden gekommen.«

»Das meinte ich eigentlich auch nicht«, murmelte meine Mutter leise.

Wir liefen an der Mauer des Gruselparks entlang und bogen in eine kleine Seitenstraße ein, in der auch Lilienthals Haus lag.

»Hier wohne ich.« Herr Lilienthal zeigte auf ein großes weißes Haus. »Wenn Sie mal ein Problem haben oder Hilfe brauchen, nur klingeln. Meine Frau weiß immer Rat.«

Dahinter kam das Hauptgebäude der Gruselparkverwaltung. Dort befand sich die Schaltzentrale für die gesamte Elektronik des Parks, die Garderobe, der Maskenraum für die Schauspieler und all so 'n Kram.

»Hier ist Ihr neuer Wirkungskreis.« Herr Lilienthal führte meine Mutter in ein großes Atelier.

Ein paar Leute schwirrten noch rum. Meine Mutter strahlte. Ihre ersten Mitarbeiter. Bisher musste sie immer alle Kostüme alleine nähen.

»Das ist ja großartig!«, quietschte sie und drehte sich in ihrem neuen Atelier im Kreise.

Herrn Lilienthal wurde es wohl schwindelig vom Zuschauen, deshalb sagte er: »So, und nun bringe ich Sie zu Ihrer Wohnung. Es ist die frühere Hausmeisterwohnung, aber inzwischen wohnt der Hausmeister direkt im Park. Die Wohnung steht seit längerem leer.«

Er führte uns zu einer Wohnung neben dem Hauptgebäude. Die Wohnung war ebenerdig und hatte vergitterte Fenster. Die Gitter hatte meine Mutter bestimmt extra für mich geordert.

Herr Lilienthal schloss auf und überreichte meiner Mutter den Schlüssel. »Die Wohnung ist gerade renoviert worden, sie wird Ihnen bestimmt gefallen.«

»Bestimmt!«, jubelte meine Mutter.

Herr Lilienthal stieß einladend die Tür auf. Dann erstarrte er. »Ach du lieber Himmel, was ist denn hier passiert?«

Ich musste lachen. »Haben Sie Schnorchel und Schwimmflossen für uns?«

»Flippi!«, rief meine Mutter.

Auf dem Fußboden stand knöchelhoch Wasser.

»Hey, ich war's nicht«, verteidigte ich mich sofort. »Ich hab nix damit zu tun!«

Herr Lilienthal schüttelte traurig den Kopf.

Fachmännisch schaute ich in die Wohnung und meinte: »Klarer Fall von Wasserrohrbruch.«

»Ach, das ist doch nicht schlimm«, beeilte sich

meine Mutter zu sagen. Sie hatte wohl Angst, ihren neuen Job nicht antreten zu können.

»Hier können Sie auf gar keinen Fall bleiben«, entschied Herr Lilienthal.

Meine Mutter schaute völlig betroffen.

Also musste ich die Sache in die Hand nehmen. »Alles kein Problem, das macht uns nichts aus«, entschied ich. »Wir ziehen Gummistiefel an.«

»Kommt gar nicht infrage!«, rief Herr Lilienthal. »Wir finden eine andere Lösung.«

»Nee, echt«, meinte ich, »ich find's klasse.« Zur Bestätigung ging ich in die Wohnung rein.

»Flippi!«, rief meine Mutter entsetzt und zerrte mich wieder raus.

Es war aber schon zu spät. Meine Schuhe und meine Strümpfe waren nass.

»Am besten wohnen Sie beide erst mal bei uns. Wir haben im Anbau ein großes Gästezimmer. Dort können Sie bleiben, bis der Schaden hier behoben ist«, entschied Herr Lilienthal spontan.

Als wir zurückgingen, hinterließ ich nasse Abdrücke auf der Straße und das Wasser quatschte bei jedem Schritt aus meinen Schuhen. Meine Mutter machte ein süßsaures Gesicht. Aber Herr Lilienthal versuchte sich das Lachen zu verkneifen, das hab ich genau gesehen.

Bei Lilienthals im Haus war schon alles dunkel. Auf Anweisung meiner Mutter schlichen wir dann auf Zehenspitzen hinter Herrn Lilienthal her, der uns zum Gästezimmer führte.

»Sie müssen wirklich nicht schleichen. Meine Frau hat einen festen Schlaf«, versuchte er meine Mutter zu entkrampfen.

Aber ihr war alles derart peinlich, dass sie mir sogar verbot, das Licht anzumachen, als wir in unserem Zimmer waren.

»Jetzt leg dich ganz leise ins Bett und schlaf«, flüsterte meine Mutter, als Herr Lilienthal gegangen war.

»Aber Mami! Ich bin noch vollständig angezogen und hab nasse Füße!«

»Ach, und du findest, dass ausgerechnet das der richtige Moment ist, plötzlich ordentlich zu werden?!«, schimpfte sie leise.

Ich seufzte.

Sie seufzte auch. »Weißt du, Flippi«, begann sie, »mir ist das wirklich unangenehm, dass wir den Lilienthals zur Last fallen.«

»Tun wir doch nicht.«

»Sicher tun wir das.«

»Gut«, bot ich dann an, »ich werde mir nicht die Zähne putzen.«

»Und was soll das helfen?«

»Wir sparen Wasser und Licht. Und wir machen keinen Krach.«

»Ach Flippi!«, ärgerte sich meine Mutter.

Aber sie war im Unrecht. Ich hatte es ernst gemeint. Irgendwie hatte sie mich nun wirklich eingeschüchtert. Ich traute mich kaum noch zu atmen, weil Frau Lilienthal womöglich von meinem Atemgeräusch aufwachen könnte.

Es dauerte eine ganze Weile, bis ich einschlafen konnte. Aber dafür wurde ich mit einem prächtigen Monstertraum belohnt. Ich liebe Monsterträume. Und zwar deshalb, weil in meinen Träumen die Monster immer vor *mir* Angst haben.

Der Morgen, an dem ich vor Leo, dem Hühnerzüchter, floh

Am nächsten Morgen wachte ich ziemlich spät auf. Meine Mutter war schon längst über alle Berge, hatte aber nicht versäumt mir Zettel mit Ermahnungen hinzulegen. *Bitte benimm dich, Flippi!,* stand auf den meisten.

Auf solche Mitteilungen konnte ich verzichten. Viel mehr interessierte mich, wo es hier was zu futtern gab.

Versuchen wir's mal mit der Küche. Meine Schuhe und meine Socken waren leider über Nacht nicht getrocknet, aber das war mir egal. Ich brauchte dringend was zu essen. Ich liebäugelte kurz mit dem Schneckenfutter, aber nach Salat zum Frühstück war mir dann doch nicht zumute.

Ich nahm meinen Schneckenkoffer und machte

mich auf den Weg. Die Küche hatte ich im Nu gefunden.

»Guten Morgen«, sagte ich, als ich zur Tür reinging. Es klang schüchterner, als ich geplant hatte.

Frau Lilienthal stand mit dem Rücken zur Tür und war damit beschäftigt, Hundekekse zu sortieren.

Aha, Hund im Haus, sehr gut.

Sie drehte sich um, kam fröhlich auf mich zu und drückte mich erst mal zur Begrüßung. »Guten Morgen, ausgeschlafen?«

Ich nickte.

Sie machte ein zerknirschtes Gesicht. »Jetzt hab ich deinen Namen vergessen.«

»Flippi«, half ich ihr. »Offiziell Filipine Sonntag.«

Frau Lilienthal nickte. »Richtig, Filipine.«

»Aber Filipine werd ich nur genannt, wenn jemand sauer auf mich ist.«

Frau Lilienthal grinste. »Kommt das oft vor?«

»Was?«

»Dass jemand sauer auf dich ist?«

»Selten.« Ich hatte keine Lust, über mich zu reden. »Tut mir Leid, dass wir hier sind. Ich hätte kein Problem damit, in der überschwemmten Wohnung zu wohnen. Fänd ich sogar klasse. Aber Ihr Mann war dagegen.«

»Ja.« Frau Lilienthal nickte. »Da ist er sehr ei-
gen.«

So, nun war zumindest klargestellt, dass es nicht
unsere Idee gewesen war, hier zu wohnen.

Frau Lilienthal ging zum Herd, nahm eine
Pfanne und holte Eier aus dem Kühlschrank.
»Magst du Spiegeleier, Rühreier oder lieber ein
Omelett?«

Ich konnte mein Glück nicht fassen. »Was denn,
echtes Frühstück? Und auch noch warm?«

»Die frischen Brötchen kommen gleich«, er-
gänzte Frau Lilienthal etwas verwirrt. Dann fragte sie nach: »Was isst du denn sonst immer zum
Frühstück?«

»Ähm ... « Das war mir peinlich.

Wenn ich die Frage ehrlich beantworten würde,
würde meine Mutter ganz schön dumm dastehen.
Meine Mutter ist nämlich kochunfähig. Nicht dass
sie sich keine Mühe geben würde, aber alle ihre
Kochversuche enden damit, dass wir den Pizza-
Service anrufen. Unser Frühstück haben meine
Schwester und ich auf Cornflakes reduziert, da
kann nicht viel schief gehen.

»Also, was isst du denn sonst immer zum Frühstück?«, fragte Frau Lilienthal erneut.

»Genau das, was Sie gesagt haben. Als hätten

Sie es erraten«, antwortete ich, weil ich vor lauter Freude über ein echtes Frühstück vergessen hatte, was sie eigentlich gesagt hatte.

»Das alles isst du zum Frühstück?«

»Aber ja. Frühstück ist die wichtigste Mahlzeit, sagt meine Mutter immer.«

He, ich war gut.

»Und du bist sicher, dass du das alles schaffst?«

»Absolut!«, beruhigte ich sie.

Was hatte sie bloß gesagt? Spiegelei und noch was. Brötchen, glaube ich, oder?

Besser jetzt die Sprache auf was anderes bringen. »Sagen Sie«, fiel mir ein, »sind Sie an Schnecken interessiert?«

»An was?«, fragte Frau Lilienthal ungläubig.

»Schnecken. Ich bin nämlich Schneckenzüchterin.« Ich setzte mich an den Tisch und wollte gerade meinen Koffer öffnen, da fiel Frau Lilienthals Blick auf meine nassen Strümpfe und die Schuhe. Die Schuhe tropften noch ein bisschen.

Sie kriegte große Augen und meinte: »Kind! Was ist denn das? Zieh mal sofort die nassen Strümpfe und Schuhe aus. Ich gebe dir trockene Sachen von meinem Sohn.«

Ich schaute sie völlig entsetzt an. »Soll das etwa heißen, dass hier ein Junge wohnt?«

»Hast du etwas gegen Jungs?«, fragte Frau Lilienthal vorsichtig.

Ich stand auf, nahm meinen Koffer und teilte Frau Lilienthal vertraulich mit: »Ich hasse Jungs. Sie sind die Pest!«

Frau Lilienthal nickte. »Kann ich verstehen. Aber was soll ich tun? Er ist mein Sohn.«

Nun war es an mir, verständnisvoll zu sein. »Da haben Sie ein Problem.« Ich dachte kurz nach. »Könnten Sie Ihren Sohn nicht woanders unterbringen, solange ich hier bin?«

Frau Lilienthal schaute mich ungläubig an. Dann meinte sie: »Er ist im Moment nicht da. Also zieh jetzt erst mal trockene Socken an.«

Ich gab nach und zog meine Socken aus. Frau Lilienthal ging trockene Sachen holen.

»Was ist denn nun mit den Schnecken?«, fragte ich, als sie zurückkam.

Frau Lilienthal reichte mir trockene Socken und ein Paar Turnschuhe. Dann schaute sie mich fragend an.

»Na, wollen Sie nun welche oder nicht?«

»Nein!«, rief Frau Lilienthal entsetzt.

»Sind Sie sicher? Es sind ganz harmlose Hausschnecken.«

»Ganz sicher.«

»Ich könnte auch neue züchten: Gruselschnecken. Die würden doch gut hier in den Gruselpark
passen!«

Frau Lilienthal schüttelte energisch den Kopf.
»Ich brauche weder Gruselschnecken noch zahme
Hausschnecken! Aber wenn ich mal welche haben
möchte, wirst du die Erste sein, die es erfährt,
okay?«

»In Ordnung.« Ich setzte mich auf den Küchen-
stuhl und versuchte im Sitzen die Socken anzuzie-
hen.

Das klappte nicht so gut, denn als ich mich im
Sitzen nach unten beugte, landete ich mit der Backe in dem Spiegelei, das mir Frau Lilienthal inzwischen hingestellt hatte.

Frau Lilienthal schaute erst etwas erschrocken,
dann versuchte sie sich das Grinsen zu verkneifen.
Ich wischte mir das Eigelb von der Backe und kon-
zentrierte mich aufs Essen. Leider war mir durch
die Information, dass hier demnächst ein Junge
auftauchen würde, der Appetit vergangen.

Das Telefon klingelte. Während Frau Lilienthal
den Hörer abnahm und telefonierte, stellte sie mir
noch ein Rührei und ein Omelett hin.

Ich schaute etwas gequält. Was war mit der
Frau los? Wer sollte das alles essen?

Frau Lilienthal lauschte aufmerksam einer Erklärung, die gerade durchs Telefon abgegeben wurde, sah mich dabei mehrfach an und nickte immer wieder. »Ach so«, sagte sie. »Verstehe. Ja, ist klar. Kein Problem.« Bei Letzterem fügte sie schnell hinzu: »Hoffe ich zumindest.« Und ihr Blick ruhte noch etwas länger auf mir.

»Ging's um mich?«, erkundigte ich mich, als sie aufgelegt hatte.

»Ja«, gab sie freundlich Auskunft.

»Meine Mutter?«

Frau Lilienthal nickte.

»Und?«, fragte ich weiter.

»Ich soll mich um dich kümmern.«

Das war nur die halbe Wahrheit, da war ich sicher. Weiß der Kuckuck, was meine Mutter wieder über mich erzählt hatte.

Frau Lilienthal schaute auf den Essensberg vor mir und lächelte. »Hör mal, du musst das nicht alles aufessen.«

Ich nickte. Gott sei Dank war sie zur Vernunft gekommen.

Draußen hörte man eine Fahrradklingel und Frau Lilienthal wurde etwas nervös.

Mir fiel es sofort auf. »Was ist denn los?«

Sie sah aus dem Fenster, antwortete aber nicht.

»Ihr Sohn kommt?«, fragte ich.

Frau Lilienthal nickte und lächelte freundlich. »Er hat frische Brötchen für euch geholt. Leo heißt er. Und er ist wirklich ganz nett.«

»Na, als Mutter sind Sie ja verpflichtet ihn nett zu finden.«

Man hörte es draußen laut schimpfen. Das Einzige, was man zweifelsfrei verstehen konnte, war der Ausruf »Blöde Hühner!«. Und der kam etwa alle dreieinhalb Sekunden. Man konnte es sogar durch das geschlossene Fenster hören.

Ich schaute Frau Lilienthal an. »Züchtet Ihr Sohn Hühner?«

Frau Lilienthal schüttelte den Kopf. »Mit den blöden Hühnern meint er Mädchen«, erklärte sie mir. »Er ... hm ... mag keine Mädchen.«

Ich nickte. »Versteh ich. Ich auch nicht.«

Frau Lilienthal wunderte sich. »Du magst keine Jungs, du magst keine Mädchen, was magst du denn?«

»Schnecken!«, sagte ich wie aus der Pistole geschossen.

»Ja, richtig«, lachte Frau Lilienthal.

Es fiepste vor der Terrassentür. Ein kleiner struppiger Hund, der keiner Rasse eindeutig zuzuordnen war, stand davor.

»Ach, Fidelio«, rief Frau Lilienthal, lief zur Tür und ließ den Hund rein. »Du kommst ausnahmsweise mal zur rechten Zeit.« Sie wandte sich an mich. »Ich hoffe, du magst wenigstens Hunde?«

»Und wie!« Sofort hatte ich wieder bessere Laune.

»Prima. Dann kümmere dich doch mal um Fidelio.«

»Klar. Wird das bezahlt?«

»Was?«

»Na, dass ich mich um Ihren Hund kümmere?«

Jetzt guckte Frau Lilienthal wirklich verblüfft. »Also, weißt du, eigentlich ...«

Ich nickte und beendete den Satz. »Nicht. Ja, ja, immer an den entscheidenden Stellen wird gespart! Aber ich mach's trotzdem.«

»Danke.«

Ich betrachtete den Hund. »Fidelio! Was für ein Name! Ich werde dich Fidi nennen.«

»Ich sag Leo mal Bescheid, dann geht er mit dir durch den Park und zeigt dir alles, okay?«, schlug sie vor.

Ich schüttelte den Kopf. »Sie wollen mich überlisten, stimmt's? Ich hab Ihnen doch gesagt: Keine Jungs in meiner Nähe! Auch wenn es Ihr Sohn ist. Ich kann da keine Ausnahme machen.«

Frau Lilienthal schaute mich ungläubig an. »Wir reden gleich darüber«, meinte sie und ging in den Flur.

Ich rief ihr hinterher: »Ist übrigens auch besser für Ihren Sohn!« Aber sie öffnete ihm bereits die Haustür.

Fidi schaute mich an. Ich schaute ihn an, dann entschied ich: »Hier bleib ich nicht. Los, Fidi, wir suchen uns eine andere Bleibe!«

Ich nahm meinen Koffer und ging durch die Terrassentür raus in den Garten.

Der Vormittag, an dem ich in ein Schloss zog

Im Garten gab es eine Tür, die in den angrenzenden Gruselpark führte. Das war praktisch. Da konnte Herr Lilienthal immer eine Abkürzung nehmen, wenn er zu seinem Arbeitsplatz ging.

Als ich durch die Gartentür in den Gruselpark trat, atmete ich tief ein. Ja, das war genau nach meinem Geschmack. Sechs Wochen in einem Gruselpark leben.

Auf einer Übersichtstafel stand, was es im Park alles gab: eine mittelalterliche Burg mit Gespenstern, Henkern und Hexen; ein Schloss, in dem Vampire und Geister hausen; eine ägyptische Pyramide mit Mumien und Pharaonen; ein Piratenschiff mit Skeletten, Leichen und Piraten; eine karibische Insel mit Zauberern und Zombies und jede Menge anderer gruseliger Kram. Alles, was je in einem Albtraum geträumt wurde, war hier Wirklichkeit geworden.

Ich nickte zuversichtlich: Das würden die besten Ferien meines Lebens werden.

»Also, Fidi, wohin?«, wandte ich mich an den Hund.

Fidi schaute mich treuherzig an und wedelte mit dem Schwanz.

»Na gut«, entschied ich, »fangen wir mit dem Geisterschloss an. Ich wollte schon immer mal in einem Schloss leben. Da wird ja wohl ein Zimmerchen für uns frei sein.«

Ich machte mich auf den Weg. Fidi blieb sitzen und winselte leise.

Ich drehte mich erstaunt um und rief: »Komm her!«

Fidi wedelte mit dem Schwanz, aber er bewegte sich nicht von der Stelle.

Also kehrte ich um, schnappte mir Fidi unter den Arm und machte mich auf den Weg zum Geisterschloss.

Zunächst stellte ich mich brav mit Koffer und Hund in die Schlange der Besucher, die vor dem Eingang warteten. Aber es dauerte elend lange.

Ich ging an den Wartenden vorbei und trat auf einen grimmig aussehenden Henker zu, der am

Schlosstor stand und die Besucher einzeln eintreten ließ.

»Hallo! Kann ich mal bitte durch?«

»Du musst dich hinten anstellen.« Der Henker schaute auf Fidi, der bewegungslos unter meinem Arm klemmte. »Und Tiere sind im Park sowieso nicht erlaubt!«

Ich lachte silberhell. »Ach, Sie halten dieses Plüschtier wohl für echt? Aber machen Sie sich nichts draus, das ist auch schon anderen passiert.«

Der Henker beäugte Fidi misstrauisch.

Fidi war klasse! So als ob er wüsste, worauf es ankam, hing er nur da und starrte vor sich hin.

»Du musst dich trotzdem hinten anstellen«, wiederholte der Henker.

»Ja, wenn ich Besucher wäre, aber ich wohne hier.«

»Du tust was, bitte?«

»Ich wohne hier.«

»Na, das wüsste ich aber.«

»Ist ganz neu. Das können Sie noch gar nicht wissen«, beruhigte ich ihn.

Der Henker wurde etwas unsicher. »Sollst du hier `ne Rolle übernehmen?«

Ich strahlte. Das war eine gute Idee. »Ja. Ich bin der neue Schlossgeist.«

Aber der Henker war dennoch misstrauisch. »Und wer hat das entschieden?«

»Na, wer wohl?«

»Herr Lilienthal?«

»Wenn Sie das sagen.«

»Hmm ... warte mal.« Der Henker verschwand hinter einer Tür.

Ich fand, das war prima gelaufen. Ich hatte nicht gelogen. Oder sagen wir mal besser: kaum gelogen. Dass der Henker seinen Platz am Eingangstor des Schlosses verlassen hatte, betrachtete ich als Einladung, mein neues Heim zu betreten.

Ich öffnete das Tor, da fiel mein Blick auf die lange Schlange der Besucher. Dass ständig fremde Leute durch meine Wohnung laufen würden, war mir eigentlich nicht recht.

Da entdeckte ich ein Schild mit der Aufschrift *Geöffnet*. Ich drehte es um. Bingo. Ja, das war's. Ich nickte zufrieden und hängte das Schild mit der Rückseite nach vorn an das Schlosstor. *Geschlossen*, stand da nun.

Die Besucher begannen zu murren und zu meckern. Aber das war mir egal. Darum konnte sich der Henker kümmern.

In der Halle war es stockfinster, nur ein paar schummrige Fackeln flackerten an der Wand. Gelegentlich hörte man erschrockene Aufschreie. Ein paar Besucher waren noch da.

»Willkommen im Gruselschloss«, schnarrte es plötzlich neben mir und eine dunkle Gestalt strich mir übers Haar.

Also, wenn ich etwas nicht leiden kann, ist es, wenn mich wildfremde Leute anfassen. Ich schlug zu.

»Au«, machte es nur und die Gestalt krümmte sich.

Ich ging weiter und der Typ schickte noch einige Flüche hinter mir her.

Es war wirklich verflixt dunkel hier. Zu dunkel, entschied ich und schaute mich suchend um. Irgendwo musste es doch einen Lichtschalter geben. Ich schlüpfte unter dem Seil durch, das den Weg, den man nehmen sollte, vorgab, und begann die Wand nach einem Lichtschalter abzutasten.

Dabei stieß ich an etwas Metallisches, und noch bevor ich erkennen konnte, was es eigentlich war, fiel es mit großem Geschepper um. Kein Wunder, dass so was passierte, bei der schummrigen Beleuchtung hier!

Schließlich entdeckte ich einen großen Hebel, über dem ein Schild hing: *Für Notfälle*. Na, wenn das hier keiner war, was dann? Ich reckte mich auf

die Zehenspitzen und schaffte es, den Hebel umzulegen.

Die Schlosshalle war mit einem Mal in gleißendes Licht getaucht. Nun gellten noch erschrockenere Schreie durch die Halle. Aber diesmal waren es die Angestellten des Gruselparks, die aufschrien. Sie lauerten in den Ecken und Nischen, um die Knöpfe und Hebel zu betätigen, die die kleinen Gruselszenarien in Gang setzten.

Fidi bellte und ich musste lachen. Es sah zu komisch aus, wie sie dasaßen. Der Begrüßungsdunkelmann, den ich geboxt hatte, hielt sich noch den Magen und nun konnte ich auch sehen, was da so gescheppert hatte: Ich hatte eine Ritterrüstung umgerannt.

Die Besucher reagierten sauer und beschwerten sich. Aber ich hatte keine Zeit, mich darum zu kümmern. Ich brauchte ein Zimmer.

Da war eine ganze Reihe Türen. Doch bevor ich mich entschieden hatte, welche davon ich öffnen sollte, legte sich eine schwere Hand auf meine Schulter.

»Das ist sie, Herr Lilienthal.«

»Dachte ich mir schon. Hallo, Flippi.«

»Was machen Sie denn hier?« Ich war überrascht Herrn Lilienthal und den Henker zu sehen.

»Kann ich dir irgendwie helfen?«

Ich zuckte die Schultern. »Ich suche ein Zimmer.«

»Hier im Schloss?«

»Ja.«

»Hat dir unser Gästezimmer nicht gefallen?«

»Das schon. Aber Ihr Sohn nicht.«

»Ach so.«

»Was ist denn nun?« Der Henker wurde ungeduldig.

Herr Lilienthal warf ihm einen beruhigenden Blick zu. »Bringen Sie alles wieder in den Normalzustand und machen Sie weiter.« Dann legte er mir den Arm um die Schulter und führte mich nach draußen.

»Und der Hund ist doch echt«, hörte ich den Henker leise vor sich hin brummen.

»Flippi, du störst hier den Betrieb. Du darfst dir gerne alles ansehen. Aber bitte akzeptiere die Anweisungen des Personals. Wenn dich die Technik interessiert, kann ich dir mal ein paar Sachen außerhalb der Besuchszeiten zeigen.« So ernst hatte ich ihn noch nie erlebt. »Am besten spreche ich mal mit deiner Mutter«, fügte er noch hinzu.

Das war eindeutig eine Drohung.

In der Ferne gestikulierte ein Mitarbeiter, dass

Herr Lilienthal dringend zur Pyramide kommen sollte.

Herr Lilienthal gab ihm Zeichen, er käme gleich, und wandte sich an mich. »Tust du mir einen Gefallen?«

»Klar, jeden.« Hatte ich eine Wahl?

Herr Lilienthal entspannte sich. »Es ist ganz leicht. Du musst einfach nur hier stehen bleiben.« Er blickte sich um und schob mich ein Stückchen näher an einen Stand. »Hier am Zuckerwattestand.«

Ich nickte. »Das krieg ich hin.« Meine Mutter sollte bloß keinen Ärger bekommen.

»Ich bin gleich wieder da.«

»Lassen Sie sich ruhig Zeit. Ich bin gut im Warten.«

Er verschwand. Ich setzte Fidi auf den Boden, stellte meinen Koffer ab und wartete.

Womöglich hätte es diesmal wirklich geklappt. Mit dem Warten und dass nix passiert und so. Wenn nicht dieser Junge aufgetaucht wäre.

Ich stand also schon eine Ewigkeit, etwa zwei bis drei Minuten, ganz brav am Zuckerwattestand und weil es mir langweilig wurde, bestellte ich mir eine Portion Zuckerwatte. Klasse Zeugs und irre klebrig.

Ich schaute mich um. Vor einem Abfallkorb saß eine Schnecke. Mein Herz schlug höher. Ein Ort, an dem es Schnecken gibt, ist ein guter Ort. Aber das war kein guter Ort für eine Schnecke. Früher oder später würde jemand drauftreten.

Ich überlegte, wie ernst Herr Lilienthal das mit dem Hier-stehen-Bleiben gemeint hatte. Galt das, egal was passiert? Oder könnte ich eine Ausnahme machen, um eine Schnecke zu retten?

Während ich noch angestrengt darüber nachdachte, kam ein Junge, sah die Schnecke, hob sie auf und setzte sie auf eine kleine Rasenfläche vor einem Baum. Nun schlug mein Herz noch höher. Da stand ein Held! Ich meine, das war zwar ein Junge, aber er war ein Schneckenretter!

»Hey!«, rief ich ihm zu. »Kannst du mal bitte hierher kommen?«

Der Junge schaute mich unwillig an. »Wieso denn? Komm du doch her.«

»Das geht nicht!«, brüllte ich zurück. »Ich darf mich nicht von der Stelle bewegen.«

Der Junge schaute ziemlich verblüfft, kam dann aber langsam näher.

»Hör mal, das war echt klasse von dir eben«, lobte ich ihn.

»Bitte?«

»Also, normalerweise find ich Jungs ziemlich blöd und rede keinen Ton mit ihnen. Aber bei dir werde ich eine Ausnahme machen. Du bist in Ordnung.«

»Was ist?«, fragte er völlig begriffsstutzig.

Ich war sehr versöhnlich gestimmt und meinte: »Also, ich erklär dir's noch mal.« Ich wollte freundschaftlich meinen Arm um seine Schulter legen. Dafür musste ich mich allerdings etwas hochrecken, denn er war ein Stück größer als ich.

Leider hatte ich vergessen, dass ich die Zuckerwatte in der Hand hatte, und weil ich die Zuckerwatte ja schon angeleckt hatte, war sie ziemlich klebrig. Und so kam es, dass auf einmal der größte Teil meiner Zuckerwatte dem Schneckenretter im Haar und am Ohr hing.

Ich sah es, noch bevor er es bemerkte, und begann schnell die Zuckerwatte wieder von seinen Haaren zu zupfen.

»Tut mir Leid«, rief ich, aber ich kam nicht weit mit meiner Erklärung.

»Sag mal, spinnst du?!«, fauchte er mich an und stieß mich von sich.

Da ich darauf nicht gefasst war, stolperte ich nach hinten und fiel leider in einen Ständer, auf dem fertige Zuckerwatteportionen aufgebaut waren. Der mickrige Ständer hielt nix aus und fiel um. Ich mittenrein.

»Blödes Huhn«, sagte der Junge und zog ab.

Ich war wütend, wollte eigentlich aufspringen, ihm hinterherlaufen und ihn verprügeln. Aber dann hielt ich inne. Denn erstens hätte ich mich dann von meinem Platz wegbewegen müssen und zweitens handelte es sich bei diesem Jungen ja eindeutig um einen Schneckenretter. Und Schneckenretter waren gute Menschen. Diesen kleinen Zwischenfall musste ich ihm einfach verzeihen.

Gerade als ich den Ständer wieder aufstellen wollte, stand Herr Lilienthal plötzlich neben mir.

»Flippi!«, jaulte er. »Was hast du denn jetzt schon wieder angestellt!«

»Tut mir Leid«, murmelte ich und guckte betreten. Nicht dass es mir wirklich Leid tat, aber Erwachsene hören so was furchtbar gerne.

»Ich hatte doch gesagt, du sollst hier stehen bleiben!«

»Na, bin ich doch. Ich hab mich nicht von der Stelle gerührt. Bin bloß umgefallen«, verteidigte ich mich empört. Ist doch wahr!

Herr Lilienthal atmete tief durch. Dann schaute er den Verkäufer an und bat ihn: »Bringen Sie das bitte wieder in Ordnung?«

Der Verkäufer nickte.

Herr Lilienthal legte mir die Hand auf die Schulter und wollte mich wegführen.

»Moment!«, rief ich, nahm meinen Koffer und Fidi unter den Arm und ging mit ihm.

»Du solltest nicht alleine hier rumlaufen«, meinte Herr Lilienthal. »Deine Mutter hatte darum gebeten.«

»Ich bin nicht alleine. Ich führe meine Schnecken spazieren«, sagte ich und hob den Koffer in die Höhe. Dann fiel mein Blick auf Fidi, der ja unter meinem Arm klemmte. »Und Ihren Hund. Er hat entschieden zu wenig Bewegung.«

Herr Lilienthal nickte. »Glaub ich dir gerne, wenn du ihn unter dem Arm herumträgst. Übrigens sind Tiere hier im Park verboten!«

»Wirklich? Das ist das erste Mal, dass ich das höre.«

Herr Lilienthal schaute etwas ernster. »Wolltest du nicht bei uns im Haus bleiben?«

Ich schüttelte den Kopf. »Nee.«

Herr Lilienthal war ein wenig irritiert. »Nein, ich meinte: *Solltest* du nicht bei uns im Haus bleiben!«

Ich guckte ihn groß an. »Sollte ich?«

Herr Lilienthal nickte. »Na komm, ich bring dich zurück«, seufzte er.

Dann führte er Fidi und mich nach Hause und übergab uns seiner Frau. Er murmelte etwas von wegen nicht aus den Augen lassen, aber ich denke mal, damit hat er den Hund gemeint.

Der Nachmittag, an dem ein Skelett seine Hand verlor

Ehrlich gesagt, nervte es mich, dass ich nun wieder bei Lilienthals rumsaß. Frau Lilienthal war eifrig darauf bedacht, mich nicht allein zu lassen.

Aber dann musste sie einkaufen gehen.

Sie schaute mich unschlüssig an. »Was mach ich bloß solange mit dir?«

»Nichts«, sagte ich. »Ich bleib ganz brav hier sitzen. Ehrlich.«

»Hm«, brummte Frau Lilienthal. Es schien, als traute sie mir nicht.

Dann hatte sie einen Geistesblitz. Zumindest sie hielt es für einen. Ich fand, es war eine ganz idiotische Idee.

»Leo!«, rief sie nämlich. »Leo soll sich um dich kümmern!«

»Oh nein, bitte nicht. Sie kennen doch meine

Meinung über Jungs. Das kann nicht gut gehen. Ehrlich. Ich bleibe gerne hier stocksteif sitzen. Fünf Stunden am Stück, wenn Sie wollen, wenn Sie mir bloß nicht Ihren Sohn auf den Hals hetzen!«

»Also, Flippi, wirklich. Du kennst ihn doch gar nicht.«

»Das muss ich auch nicht. Alle Jungs sind gleich. Kennste einen, kennste alle. Zehnjährige Jungs sind die Hölle.«

»Leo ist zwölf. Er ist zwei Jahre älter als du.«

Nun jaulte ich erst recht. »Die sind ja noch schlimmer.« Zehnjährige schaffe ich mit einem Boxhieb, bei den Älteren ist das schon nicht mehr so leicht.

Frau Lilienthal schaute mich ernst an, ihr Entschluss stand fest. »Komm mit«, meinte sie, griff nach meiner Hand und ließ sie nicht mehr los. »Ich bring dich zu Leo ins Zimmer. Es wird dir gefallen.«

Ich ließ mich hinterherziehen.

Na toll. Auch das noch.

Als ich dann in Leos Zimmer stand, war ich echt erstaunt. Sein Zimmer war ein Gruselkabinett. Im Vergleich dazu glich der Gruselpark einem Märchenland für Kleinkinder.

Ich schaute mich fasziniert um. Leo schlief nicht in einem Bett, sondern in einem Sarg. Einem ausrangierten Sarg. Er arbeitete nicht an einem Schreibtisch, sondern an einer alten Streckbank. Und seine Kleider hängte er nicht an einen Garderobenständer, sondern an ein Skelett. Alles war in Schwarzlicht getaucht und blaue Blitze zuckten durch den Raum.

Ich war begeistert. So ein gemütliches Zimmer hatte ich noch nie gesehen. Es war tausendmal besser als im Geisterschloss.

Leo saß mit dem Rücken zu uns an seinem Strekkbank-Schreibtisch und bastelte irgendwas. An seinem Ohr hing etwas, das wie rosa Zuckerwatte aussah.

Seine Mutter sprach ihn von hinten an. »Leo, du musst mir einen Gefallen tun. Bitte kümmere dich um Flippi. Die kleine Tochter von Frau Sonntag, du weißt schon ...«

»Oh nein, ganz sicher nicht!«, rief Leo. »Lass mich mit den blöden Hühnern in Ruhe.«

Frau Lilienthal räusperte sich verlegen. »Leo, sie steht hier neben mir.«

Leo fuhr erschrocken herum und riss entsetzt die Augen auf, als er mich sah. Ich strahlte. Das war ja der Zuckerwattetyp!

Ich ging auf ihn zu, hielt ihm die Hand entgegen und trötete: »Also, Schlamm drüber!«

»Wie bitte?«, fragte er.

Ich hielt ihm meine Hand fordernd vor die Nase und meinte: »Vergessen wir's. Ich bin dir nicht böse!«

Er schaute seine Mutter fragend an, die zuckte verständnislos die Schultern, gab ihrem Sohn aber Zeichen, freundlich zu mir zu sein.

Leo warf seiner Mutter einen verärgerten Blick zu, schaute misstrauisch meine Hand an und schüttelte sie dann zaghaft.

»Danke, Leo«, sagte Frau Lilienthal erleichtert, so als wäre ihr eine Zentnerlast von der Seele genommen worden.

Als Frau Lilienthal gegangen war, knurrte Leo kurz in meine Richtung: »Fass nichts an!« Dann wandte er sich wieder seinen Basteleien am Schreibtisch zu.

»Das war echt ein guter Einsatz mit der Schnecke. Ich beurteile Menschen danach, wie sie Schnecken behandeln. Ehrlich gesagt, finde ich Jungs ziemlich doof, aber jemand, der Schnecken ...«

Leo hatte sich umgedreht und schaute mich ärgerlich an. »Kannst du bitte aufhören zu quasseln!

Ich weiß nicht, wovon du überhaupt redest, und es interessiert mich auch nicht. Ich will mich nicht mit dir unterhalten!«

Gut, dann würde ich mich eben mit mir selbst unterhalten. Oder mit dem Skelett.

»Hallo!« Ich schüttelte dem Skelett herzlich die Hand.

Eigentlich wollte ich das Skelett ja in ein längeres Gespräch verwickeln, aber als seine Knochenhand plötzlich abging und ich sie in meiner Hand hielt, entschied ich mich anders.

Leo hatte es nicht gesehen. Und ich hatte irgendwie das Gefühl, er würde es sicher auch gar nicht wissen wollen. Also steckte ich die Skeletthand in meine Hosentasche und schlenderte unschuldig pfeifend rüber zu seinem Schreibtisch.

»Kannst du das mal lassen?«, brummte er.

»Was denn? Atmen? Tut mir Leid, ist ein Reflex«, sagte ich.

Leo verdrehte genervt die Augen, wandte sich wieder seinem Schreibtisch zu und hüllte sich in Schweigen.

Mann, war das langweilig hier. Nichts anfassen, nichts sagen, nicht pfeifen.

»Okay«, meinte ich dann entschlossen. »Kannst du mir ein Buch geben?«

48

»Ein Buch?«, fragte Leo verwundert.

»Ja, ein Buch. Das ist so ein kleines, rechteckiges Ding mit Seiten drin und auf den Seiten sind Buchstaben angeordnet. Und wenn man lesen kann, ergeben die meist einen Sinn.«

»Ich weiß, was ein Buch ist«, ärgerte sich Leo und zeigte auf sein Bücherregal.

Ich griff nach *Der Fluch des Pharaos*. Falsche Wahl. Falsch deshalb, weil es eines von Leos präparierten Büchern war. War wohl für Besucher gedacht. Denn sobald man das Buch herauszog, sprang einem eine Schlange genau ins Gesicht. Dass die Schlange nur aus Papier war, half nicht. Ich quiekte erschrocken auf, als es passierte. Dann drehte ich mich schnell zu Leo um, um zu sehen, ob er das mitgekriegt hatte.

»Keine Angst, das hab ich nicht gesehen«, meinte er. Dann grinste er. »Stimmt gar nicht. Ich hab's gesehen und du hast ziemlich dämlich ausgeschaut.«

Ich holte tief Luft, um Leo meine Meinung zu sagen, aber es kam nichts. Und als ich dann auch noch feststellte, dass mich etwas daran hinderte, Leo zu verprügeln, war ich wirklich ärgerlich.

Was war bloß los?

Das musste wohl daran liegen, dass Leo diese

Schnecke gerettet hatte und ich ihn deshalb nett fand. So was ist ganz schön hinderlich im Umgang mit Jungs. Also, wenn man einen Jungen nett findet.

Allerdings wenn ich ihn nett finde, ist er dazu verpflichtet, mich auch nett zu finden. So muss das laufen.

»Um noch mal auf die Schnecke zurückzukommen, ich hab da folgende Theorie ...«, teilte ich ihm mit.

»Versuch erst gar nicht mich zu beeindrucken, das klappt sowieso nicht«, sagte er, ohne sich auch nur zu mir umzudrehen.

Das war ja der Hammer. Er wollte, dass ich ihn beeindrucke. Na klasse. Jetzt konnte ich mir auch noch den Kopf darüber zerbrechen, wie.

Wie beeindruckt man einen Jungen? Jojo. Die wüsste Rat. Darf ja nicht wahr sein, dass ich ausgerechnet meine nervige Schwester vermisse. Aber Jojo hat eben schon mehr Erfahrung damit, wie man Jungs beeindruckt. Ich habe mich bisher nur darum gekümmert, wie man Jungs in die Flucht schlägt.

Hm. Ich sollte mit ihm plaudern, vielleicht wird er dann zutraulicher. Das Hauptproblem ist vielleicht, dass er Angst vor mir hat. Die meisten

Jungs haben Angst vor mir. Ich muss ihm die Angst nehmen. Wie mach ich das am geschicktesten?

»Du brauchst keine Angst vor mir zu haben«, sagte ich.

Leo drehte sich um und schaute mich ganz groß an. Dann fing er an zu lachen.

Na bitte, Eis gebrochen.

Das war ein gutes Zeichen. Ich wusste jetzt, wie ich die Sache angehen musste. Er hatte offensichtlich ein Problem mit Mädchen. Also mussten wir einfach mal drüber reden.

»Was magst du denn an Mädchen?«, fragte ich ihn.

»Nichts«, antwortete er knapp.

Okay, hier musste ich ansetzen. »Dann hast du ja Glück. Ich bin eigentlich gar kein richtiges Mädchen. Meine Mutter sagt immer, ich sei der Junge, den sie nie haben wollte.«

Leo schaute mich an und zog eine Augenbraue in die Höhe. »Ich mag Mädchen nicht!«, knurrte er. »Mädchen sind lästige Hühner. Euer ewiges Gegacker geht mir auf den Keks. Und die dummen Vorwände, unter denen ihr hier auftaucht ...« Er verstellte seine Stimme und ließ sie albern klingen: »Ich hab die Matheaufgaben nicht verstanden,

Leo, kannst du sie mir erklären? Ich hab mein Deutschbuch nicht gefunden, hast du es vielleicht eingesteckt, Leo? Hallo, Leo, weißt du, wann wir die Bioarbeit schreiben?« Mit normaler Leo-Stimme sprach er weiter: »Es nervt. Lasst mich in Ruhe mit eurer Anhimmelei! Mädchen sind blöde Hühner.«

Ich nickte verständnisvoll. »Stimmt. Wenn du willst, kann ich sie verscheuchen.«

»Wovon redest du?«

»Ich halte dir die Hühner vom Leib. Okay?«

»Du? Du bist doch selbst eins!«

Ich brüllte: »Ich bin kein Huhn!«

»Ich seh keinen großen Unterschied zwischen dir und den anderen Hühnern.«

Also, das musste ich mir nicht anhören. Schneckenretter hin, Schneckenretter her.

Ich ging zur Tür. Über die Schulter hinweg rief ich ihm zu: »Ich finde dich nicht die Bohne nett. Du bist der dämlichste Hühnerzüchter, der mir je begegnet ist.«

Hier würde ich keine Minute länger bleiben. Womöglich war Leos Doofheit ansteckend. Ich knallte die Tür zu und ging wieder runter.

Dann nahm ich meinen Schneckenkoffer in die Hand, rief nach Fidi und klemmte ihn mir unter den Arm. Im Park musste doch irgendwo eine Bleibe für mich zu finden sein.

Doch gerade als ich in der Terrassentür stand, tauchte leider meine Mutter mit Herrn Lilienthal im Garten auf.

Ich schaute wohl etwas ertappt, denn Herr Lilienthal fragte sofort: »Wolltest du uns wieder verlassen, Flippi?«

»Nein, ich wollte lüften«, meinte ich und wedelte die Tür auf und zu.

Herr Lilienthal lächelte schwach. »Das ist wirklich sehr nett von dir.« Dann entschied er: »Genug gelüftet«, und schob mich ins Haus.

Meine Mutter sagte keinen Ton und verzog auch keine Miene. Sie guckte irgendwie ausdruckslos.

»Haben Sie meiner Mutter alles erzählt?«

Er nickte.

»Auch die Wahrheit?«

Er guckte erstaunt. »Was meinst du?«

»Na, dass ich nix dafür kann? Dass es nicht meine Schuld war«, half ich ihm auf die Sprünge.

Nun schaltete sich meine Mutter ein: »Filipine, sei still.« Dann wandte sie sich an Herrn Lilienthal. »Es tut mir wirklich alles sehr Leid. Wenn es recht ist, werde ich mich jetzt mal mit meiner Tochter auf unser Zimmer zurückziehen.«

»Sicher«, meinte Herr Lilienthal. Dann fiel sein Blick auf mich und er sagte bittend zu meiner Mutter: »Seien Sie nicht zu hart zu ihr.«

Meine Mutter schnaubte nur und zog mich hinter sich her.

Ich steckte die Hand in meine Hosentasche und fühlte mit Schreck die Skeletthand. Mist. Hoffentlich vermisste Leo sie nicht.

Darum würde ich mich morgen früh als Allererstes kümmern.

Der Morgen, an dem ich ein Huhn in die Flucht schlug, oder fast

Schon vor Tagesanbruch war ich aufgestanden und schlich mich aus unserem Gästezimmer. Ich musste aus zwei Gründen schleichen: Einmal hatte ich nämlich striktes Verbot, das Zimmer ohne Aufsicht zu verlassen. Das war gestern Abend bei dem langen Vortrag, den mir meine Mutter gehalten hatte, rausgekommen. Und zweitens musste ich in Leos Zimmer sein, bevor er aufwachte. Wegen der Skeletthand, die sich gestern aus unerfindlichen Gründen von ihrem Knochenarm verabschiedet hatte und dann in meiner Hosentasche gelandet war.

Ich hielt es nämlich für keine so gute Idee, die Hand Leo einfach in die Hand zu drücken. Denn egal ob mit oder ohne Erklärung – es würde ein falsches Licht auf mich werfen. Also gab es nur eins: Das Ding heimlich wieder anbringen.

Es lief hervorragend. Keine Diele knarrte, alle Lilienthals schnarchten noch vor sich hin. Ich drückte leise die Türklinke von Leos Zimmer runter und tippelte auf Zehenspitzen rein. Auch Leo schlummerte noch selig.

Ich stand eine Weile verträumt da, beobachtete ihn und konnte nur mit Mühe den Wunsch bekämpfen, ihm eine Tube Duschgel in den offenen Mund zu leeren.

Okay, an die Arbeit. Irgendwie hatte ich mir das einfacher vorgestellt. Ich dachte, an dem Skelett wäre vielleicht so ein Haken dran, ein Klettverschluss oder in Gottes Namen auch ein Knopf und Knopfloch, um die Hand wieder zu befestigen. Aber nichts.

Das stellte mich vor ein Problem. Ich musste sie festbinden. Nur womit? Ich stopfte die Knochenhand vorläufig wieder in meine Hosentasche und fing an, Leos Schubladen vorsichtig zu öffnen.

Hach, in der mittleren Schublade ganz hinten schien was zu liegen, sah aus wie Geschenkband. Ich zog die Schublade noch weiter auf, um hineinzufassen. Zu weit. Sie knallte auf den Boden.

Leo fuhr senkrecht in die Höhe. Ich stand wie erstarrt da. Ich hoffte, wenn ich mich nicht bewegen würde, würde er mich nicht sehen. Denkste.

»Verdammt!«, zischte er und sprang aus dem Bett.

Ich streckte die Hände aus und versuchte glasig zu gucken. Bestimmt hätte das mit der Schlafwandler-Nummer geklappt, wenn Leo nicht einen so albernen Schlafanzug angehabt hätte. Mit kleinen Fußball spielenden Teddybärchen drauf. Ich musste kichern und meine Tarnung flog auf.

Er riss mich wütend am Arm herum und fauchte mich an: »Was hast du hier zu suchen?«

»Pssst!«, machte ich. »Du weckst ja das ganze Haus auf.«

Nun nahm er auch noch meinen anderen Arm und schüttelte mich. Das ging entschieden zu weit. Ich trat ihm gegen das Schienbein. Er ließ vor Schreck meine Arme los und hielt sich sein Bein.

»Hör mal, versteh das nicht falsch. Ich finde dich wirklich nett, aber ich mag es nicht, wenn man mich anfasst«, erklärte ich ihm.

Leo hielt sich das Bein und stöhnte. »Du findest mich nett?«

»Allerdings«, nickte ich, »schneckenmäßig.«

»Was um Himmels willen machst du denn mit

Leuten, die du *nicht* nett findest?«, jammerte er und ließ sich wieder rückwärts in sein Bett fallen.

Ich blickte mich um, sah einen Wecker aus Metall. Ich reichte ihn Leo. »Leg den drauf, das kühlt. Dann schwillt es nicht so an.«

Leo nahm wortlos den Wecker und hielt ihn gegen sein Bein. »Kennst dich wohl aus mit so was?«, knurrte er.

»Allerdings.«

»Kannst du mir jetzt bitte erklären, was du hier zu suchen hast?«, verlangte er.

Ich überlegte. »Also, wenn ich dir die Wahrheit sage, wirst du bestimmt sauer.«

Leo setzte sich ruckartig wieder auf. »Sauer? Was glaubst du denn, was ich jetzt gerade bin? Verliebt?!«

»Was?«, schrie ich empört. »Ich glaub, du spinnst! Komm mir bloß nicht mit so 'nem Gesülze, dann ist es gleich aus mit unserer Freundschaft!«

»Du blödes Huhn, das war ein Scherz! Ich bin bereits affensauer auf dich. Also, sag, was los ist, es kommt auch nicht mehr drauf an.«

Ich war nicht seiner Meinung. Ich hatte das Gefühl, er könnte durchaus noch saurer auf mich werden. »Ach, weißt du«, meinte ich daher, »wir verschieben das.« Ich schob die Skeletthand noch etwas tiefer in meine Tasche und ging zur Tür.

Leo versank wieder in seine Kissen.

Dann fiel mir noch was ein. »Ach ja, einen Gefallen könntest du mir noch tun.«

Leo schoss wieder im Bett hoch. »Oh, ich kann dir einen Gefallen tun? Aber sicher doch, nur raus mit der Sprache.«

Ich war froh, dass er so kooperativ war. Obwohl er das wirklich freundlicher hätte sagen können. »Wegen deinem Bein. Das wird bestimmt `ne ziemlich große Beule. Es wäre mir lieb, wenn du nicht sagen würdest, dass ich es war. Ich hab schon genug Ärger.«

Leo schnaubte. »Für wie blöd hältst du mich? Ich werde ja wohl kaum erzählen, dass ich mich von einem kleinen Mädchen habe treten lassen.«

Ich dachte einen Moment nach. »Stimmt«, kicherte ich, »das wäre wohl wirklich sehr peinlich.«

»Verschwinde«, zischte er mir zu.

Aber das hatte ich ja sowieso vor.

Auf Leo war Verlass. Als wir alle beim Frühstück saßen und seine Mutter besorgt sein Bein untersuchte, meinte er nur: »Ich bin gegen die Bettkante gelaufen.«

Ich hätte vielleicht nicht sagen sollen: »Ach, wie ungeschickt!« Aber er hätte mich vorher auch nicht so böse anschauen sollen, als er das mit der Bettkante sagte.

»Halt den Mund, Flippi«, zischte meine Mutter.

Das war übrigens so gut wie der einzige Satz, den sie zu mir sagte. Sie war obersauer. So lange hatte das bisher noch nie vorgehalten. Aber zumindest nannte sie mich inzwischen wieder »Flippi« statt »Filipine«. Das war schon ein Fortschritt.

Als meine Mutter fertig gefrühstückt hatte, stand sie auf und meinte zu Lilienthals: »Ich muss los. Es tut mir wirklich sehr Leid, dass Sie so viel Ärger wegen meiner Tochter haben. Aber morgen ziehen wir ja in die Wohnung und dann entspannt sich die Lage vielleicht etwas.« Leise knurrte sie: »Dort sind nämlich die Fenster vergittert.«

»Machen Sie sich keine Sorgen, Frau Sonntag, das kriegen wir schon hin«, meinte Frau Lilienthal freundlich. »Mein Sohn wird heute Babysitter spielen.«

»Der arme Junge«, meinte meine Mutter mitleidig und ich sah, wie Leo meine Mutter dankbar anschaute. Dann verabschiedete sie sich und ging.

Herr und Frau Lilienthal verschwanden im Wohnzimmer.

Leo stand auf. »Schaffst du es, hier so lange still zu sitzen, bis meine Mutter wieder zur Tür reinkommt und dich unter Kontrolle hat?«

»Schaffst du es, aus der Küche zu gehen, ohne gegen eine Bettkante zu laufen?«, kicherte ich.

Leo warf mir einen wütenden Blick zu und verzog sich nach oben.

Ich rief nach Fidi, um mit ihm rauszugehen. Aber Fidi kam nicht. Er stand im Flur und bellte die Haustür an. Ich ging nachschauen.

Vor der Tür stand ein oberaufgetakeltes Mädchen, etwa Leos Alter oder vielleicht auch fünfundzwanzig. So bunt, wie sie bemalt war, konnte man das wirklich nicht einschätzen.

Sie musterte mich durch die Glastür, in ihrem Blick schwang Verachtung mit. Ich verschränkte kampfbereit die Arme und starrte zurück.

»He«, rief sie, »mach mal die Tür auf!«

Ich beugte mich zum Briefkastenschlitz runter, hob die Klappe und sagte: »Wir kaufen nix.«

Sie meinte nur gelangweilt: »Ja, ja, sehr witzig! Mach auf. Ich will zu Leo. Wir sind verabredet.«

Aha! Hühneralarm!

Hatte ich Leo nicht versprochen, ihn vor den Hühnern zu schützen? Das war jetzt meine große Stunde.

»Leo mag keine Mädchen«, teilte ich ihr lächelnd mit und rührte mich nicht von der Stelle.

»Dich vielleicht nicht. Mich schon! Sag ihm jetzt sofort, dass ich da bin!«, keifte sie.

»Aber gern doch«, bot ich an. »Was sag ich denn, wer da ist? Soll ich ihm melden, dass ein Huhn mit Kriegsbemalung ihn sehen will? Oder hast du auch einen Namen?«

Mit letzter Kraft stieß das Mädchen aus: »Babsi. Mein Name ist Babsi! Sag ihm, dass Babsi hier ist.«

»Aber klar doch, *Babsi*. Geh nicht weg, *Babsi*. Ich werde ihn suchen gehen, *Babsi*.«

Ich nahm meinen Schneckenkoffer und ging nach oben. Fidi lief mir hinterher. Oben hörte ich, wie Frau Lilienthal ihrem Sohn einen lautstarken Vortrag hielt, dann öffnete sich eine Tür und Frau Lilienthal schob Leo vor sich her.

Die beiden schauten erstaunt, als sie mich sahen. Das machte mich leider etwas verlegen.

»Ich ... ähm ... also, ich würde gerne in den Park«, stotterte ich. »Und ... ähm, ich soll ja nicht mehr alleine losziehen, da dachte ich, vielleicht könnte Leo mich rumführen oder so.« Dann schaute ich Leo freundlich lächelnd an und meinte: »Aber natürlich nur, wenn du Zeit hast ...«

»Hab ich«, knurrte Leo und warf seiner Mutter einen bösen Blick zu.

Gerade als wir durch die Terrassentür rausgehen wollten, klingelte es Sturm. Das Babsi-Huhn hatte wohl die Geduld verloren.

Leo hielt inne.

»Los, gehen wir!«, drängelte ich.

»Ja«, meinte Leos Mutter, »geht ruhig. Ich schaue nach, wer es ist.« Sie schob Leo und mich in den Garten.

Es klingelte wie wild. »Ja, ja, ich komm ja schon!«, rief Frau Lilienthal Richtung Haustür.

Leo schaute noch mal unschlüssig zurück.

»Ist bestimmt nur jemand, der Schuhbürsten verkaufen will«, versuchte ich ihn zu beruhigen.

Ich war sicher, Leo einen Gefallen zu tun. Es sei denn, er hatte über Nacht seine Meinung geändert.

»Sag mal, du magst doch immer noch keine Mädchen, oder?«, vergewisserte ich mich sicherheitshalber noch mal.

»Pass mal auf«, sagte Leo und blieb stehen, »damit das gleich klar ist: Das Letzte, was ich brauche, ist mit so einer Chaoskröte wie dir durch den Park zu laufen. Aber ich hab's meiner Mutter versprochen, also zieh ich's durch. Jetzt quatsch nicht so viel rum und komm.«

»Also, weißt du, so hab ich mir das aber nicht vorgestellt«, maulte ich und blieb stehen.

Leo lief weiter.

Da riss mich jemand am Arm herum. Babsi, das Huhn, stand auf einmal vor mir und fauchte: »So, du hast also Leo gesucht? Solche Mätzchen kannst du dir in Zukunft sparen, wenn du hier überleben willst. Wer bist du überhaupt?«

Leo, der schon ein ganzes Stück vorausgelaufen war, drehte sich zu mir um. »Was ist? Kommst du?«, rief er.

Als Babsi Leo sah, lächelte sie sofort betörend. »Hallo, Leo«, hauchte sie.

»Hallo«, brummte Leo, mittelmäßig freundlich.

Sie deutete etwas abschätzig auf mich und wollte gerade was zu Leo sagen.

Aber ich kam ihr schnell zuvor. Ich lief zu Leo, schob ihn vor Babsi und meinte zu ihr: »Hier ist er. War gar nicht so einfach, ihn zu finden. Ich hab ihn überall für dich gesucht.« Dann verbeugte ich mich unterwürfig mit ausholender Geste wie ein Höfling. »Aber kein Weg ist mir zu weit, keine Aufgabe zu schwer, wenn ich der Frau Königin einen Dienst erweisen kann.«

Leo schaute mich verwirrt an, Babsis Gesicht wurde langsam zornrot.

Ich lächelte Babsi an.

»Du hältst dich wohl für sehr clever!«, zischte sie mit ziemlich viel Selbstbeherrschung. Ich glaube, sie wollte vor Leo keine Szene machen.

»Aber nein, aber nein. In Eurer Gegenwart verblasst meine Cleverness total.«

Sie atmete tief durch. Nun war es Zeit, dass ich mich aus dem Staub machte. Denn eine weitere Prügelei zum Auftakt dieses Tages hielt ich nicht für die beste Idee.

»Erlaubt, Gnädigste, dass ich mich zurückziehe. Aber ein Wort von Euch genügt und ich stehe zu Diensten.« Ich verbeugte mich wieder mit zierlichen Handbewegungen.

»Bete, dass wir uns nicht mal alleine treffen, du Zimtzicke«, rief Babsi mir hinterher.

»Tue ich bereits«, nickte ich. »Wer möchte dir schon im Dunkeln begegnen?« Ich war sehr zufrieden mit mir und ging wieder ins Haus.

Zwei Minuten später hatte mich Leo eingeholt.

»Das war ja `ne Glanzleistung!«, meinte er zu mir.

Ich winkte bescheiden ab. »Gern geschehen. Man tut, was man kann.«

»Das hab ich ironisch gemeint!«, schimpfte er. »Weißt du, wer das eben war?«

Ich nickte. »Klar. Eins deiner Hühner.«

Leo schnaubte: »Nicht einfach nur eins meiner Hühner, sondern –«

»Das Oberhuhn«, fiel ich ihm ins Wort.

Er nickte. »So kann man sagen.«

Da fiel mir was ein. Ich blieb stehen und fragte ihn: »Sag mal, ist das etwa deine Freundin?«

»Das ist Babsi Pfeiffenberger. Die Tochter vom Inhaber des Gruselparks, du Sumpfdrossel!«

»Und?«

»Du kannst dich ihr gegenüber nicht so unverschämt benehmen!«

»Also, weißt du, sie hat damit angefangen. Die spielt sich auf, als ob ihr der Laden hier gehört!«

Leo verdrehte die Augen. »Er gehört ihr, du Erbsenhirn.«

»Oh.«

»Ja, oh. Also, reiß dich zusammen«, sagte Leo. Dann betrachtete er mich und empfahl: »Oder geh ihr lieber aus dem Weg.«

»Findest du sie toll?«, formulierte ich meine Hauptsorge.

»Bist du verrückt? Sie sülzt mich immer an. Das kann ich auf den Tod nicht ausstehen.«

»Sag es ihr doch.«

»Hörst du nicht zu oder denkst du nicht mit? Ihrem Vater gehört der Gruselpark.«

Nun war es an mir, ungläubig den Kopf zu schütteln. »Was hat denn das damit zu tun?«

Leo nickte. »Du denkst nicht mit, alles klar.«

»Und wo ist Babsi jetzt?«

»Wir treffen uns nachher an der Pyramide. Die ist zurzeit für Besucher geschlossen, weil noch ein paar Effekte getestet werden müssen. Babsis Vater hat eine neue elektronische Mumie gekauft, die wollen wir uns anschauen.«

»Und was ist mit mir?«

»Du sollst mitkommen.«

»Hat sie das gesagt?«

»Ja.«

Das wunderte mich. »Vielleicht ist sie ja doch ganz nett?«, überlegte ich.

»Nein«, sagte Leo mit Bestimmtheit.

Der Nachmittag, an dem mich der Fluch des Pharaos traf

Babsi stand schon vor der Pyramide und lächelte, was das Zeug hielt, als Leo und ich dort ankamen.

Zuckersüß meinte sie zu Leo: »Dann lass uns Flippi mal in die Geheimnisse des Gruselparks einweihen.«

Ich zog Leo zur Seite. »Woher kennt sie meinen Namen?«

»Von mir. Ich hab ihr gesagt, wer du bist.«

»Das war eine Dummheit!«, tadelte ich ihn.

Babsi tat so, als hätte sie das nicht mitgekriegt, lächelte unverdrossen und führte uns zum Pyramideneingang. Dort war es stockduster. Dann ging es erst mal einen steilen, holprigen Gang abwärts. Die Wände waren mit ägyptischer Bilderschrift voll gekritzelt. »Hieroglyphen«, erklärte

Babsi mir mit Lehrerstimme. »Und jetzt kommen wir in die erste Kammer. An den Wänden ist in Bildern das Leben des Toten dargestellt.«

Ich gähnte.

»Die nächste Kammer«, fuhr Babsi fort, »ist so eine Art Speisekammer, weil die Ägypter glaubten, dass sie nach dem Tod ganz normal weiterleben und auch essen und trinken müssten.«

Ich gähnte wieder.

»Danach kommen wir in die Schatzkammer –«

»Hör mal«, rief ich Babsi ärgerlich zu. »Ich hab Ferien!«

»Okay!« Babsi nickte. »Du bist hier, um dich zu amüsieren, stimmt's?«

»Allerdings.«

»Prima. Dann lauf doch hier entlang, das wird dir bestimmt besser gefallen.« Babsi deutete auf einen schmalen Gang. »Da gibt's ein paar interessante Sachen zu sehen. Die alten Ägypter haben nämlich Vorsichtsmaßnahmen ergriffen, um Grabräuber abzuschrecken. Das wird dich sicher faszinieren.«

Leo machte ein unschlüssiges Gesicht. »Ich weiß nicht. Lass uns lieber direkt zur Grabkammer gehen.«

Babsi lächelte Leo noch lieblicher an und meinte: »Ich wollte Flippi doch nur eine Freude machen.« Sie wandte sich an mich. »Du scheinst mir der mutige, abenteuerlustige Typ zu sein. Oder hast du etwa Angst?«

»Pfff«, machte ich, »natürlich nicht!«

»Gut, dann ist ja alles klar. Wir treffen dich später in der Grabkammer!«, sagte Babsi lauernd und zog Leo zu sich rüber.

Leo schaute Babsi unzufrieden an. »Soll sie da etwa alleine durchlaufen?«

»Sicher. Es sei denn, sie hat Angst.«

Das gab den Ausschlag. Von so einem Huhn lass ich mich doch nicht ins Bockshorn jagen!

»Wo geht's lang?«, fragte ich nur.

Babsi zeigte auf einen kleinen Eingang. Dort war ein Schild angebracht: *Betreten auf eigene Gefahr. Schwangeren und Personen mit Herzschrittmacher oder schwacher Gesundheit wird abgeraten. Kindern unter 12 Jahren ist der Zugang verboten.*

Ich atmete tief durch und marschierte los. Babsi und Leo nahmen den anderen Weg.

Es war richtig duster, nur ab und zu erhellte eine flackernde Fackel den dunklen Gang. Plötzlich streifte etwas Haarfeines, Klebriges mein Gesicht und ein greller Blitz zuckte durch den Gang. Ich erschrak, aber nun konnte ich wenigstens sehen, was mir da im Gesicht klebte: Ich war in ein Spinnennetz geraten.

Ich stellte meinen Koffer ab und ruderte wie wild mit den Armen durch die Gegend, um mich von dem Spinnennetz zu befreien. Aber da wurde es erst richtig eklig: Eine Invasion von Spinnen fiel auf mich herab. Es war total ekelhaft. Große, kleine, haarige, glatte und kribbelige Spinnen fielen auf meinen Kopf, hingen in meinen Haaren und in meinem Gesicht. Ich schrie und rannte los, aber da hing ich bereits im nächsten Netz fest. Ich hielt mir die Hände vors Gesicht und schrie noch lauter.

Plötzlich waren das Netz und die Spinnen verschwunden. Ich lehnte mich erschöpft gegen die Wand und versuchte wieder ruhig durchzuatmen.

Gerade hatte ich mich etwas erholt, da hörte ich ein merkwürdiges steinernes Knarren. Ich konnte nicht ausmachen, woher das Geräusch kam. Aber es klang nicht gut. Ich blickte den Gang auf und ab, aber es war nichts zu sehen. Da rieselten etwas Sand und kleine Steinchen auf meinen Kopf. Ich schaute nach oben und erstarrte: Langsam und unabänderlich senkte sich die Gewölbedecke nach unten. Auf mich zu. In zwei Minuten würde ich Brei sein. Erst duckte ich mich, dann war mir klar, ich musste flüchten. Schnell zurück. Aber als ich loslaufen wollte, erschrak ich: Der Rückweg war versperrt. Lautlos hatte sich eine Wand hinter mich geschoben.

Okay, keine Panik, blieb immer noch die Flucht nach vorne, in die nächste Kammer. Mit einem Sprung rettete ich mich dort hinein.

Kaum war ich in der Kammer, da holperte und polterte es hinter mir und ein großes Felsstück schob sich vor den Eingang. Da es keinen anderen Eingang oder Ausgang gab, saß ich nun in der Falle.

»Das ist überhaupt nicht lustig!«, brüllte ich die Wände an. »Ich will hier raus! Aber sofort!«

Verflixte Babsi, wenn ich hier je wieder lebend rauskam, konnte sie was erleben!

Aber zumindest war ich erst mal gerettet. Ich lehnte mich erschöpft an die Wand und ließ mich langsam zu Boden sinken, weil meine Knie zitterten und nachgaben.

Ich heulte ein bisschen und war ziemlich sauer auf meine Mutter, weil sie mich gezwungen hatte, mit ihr hier im Gruselpark zu wohnen. Aber ich konnte noch nicht mal in Ruhe heulen. Plötzlich hörte ich zischende Geräusche und mein Herz fing wieder an vor Panik zu rasen.

Was jetzt? Ich blickte mich ängstlich um, in der Mitte des Raumes befand sich ein kleiner Sockel aus Stein. Ich starrte auf die Wand gegenüber. Die Wand hatte Risse und aus diesen Rissen kam grünlicher Nebel. Okay, vor grünem Nebel habe ich keine Angst. Aber irgendwie hatte ich das Gefühl, das wäre noch nicht alles.

Da berührte mich auch schon etwas an der Schulter: eine Schlange. Mit einem Aufschrei rutschte ich in die Mitte des Raumes und setzte mich auf den Sockel. Ringsum aus allen Spalten und Rissen kamen nun Schlangen herausgeschlängelt. Zischelnd und rasselnd ließen sie sich die Wände herabgleiten und schlängelten züngelnd auf den Sockel zu. Ich zog meine Beine hoch und umklammerte sie.

Und als ob das allein nicht schon ausreichen würde, einen harmlosen Besucher in den Wahnsinn zu treiben, hörte ich plötzlich eine hohle Stimme, die echote: »Das ist der Fluch des Pharaos! Das ist die Strafe, weil du meine ewige Ruhe störst!« Es folgte höhnisches Gelächter.

Dann erschien eine Gestalt, durchscheinend und unwirklich. Der Pharao schwebte auf eine Wand zu und schien durch das Gewölbe hindurchzugehen. Weg war er.

Ich wollte hinterherlaufen, aber da waren ja all die Schlangen, die auf mich zuschlängelten. Die schummrigen Fackeln flackerten noch einmal auf, dann wurden sie schwächer und schwächer.

Ich schrie: »Nein!« Aber da war es bereits stockduster.

Das Zischen wurde lauter, das höhnische Gelächter dröhnte durch die Kammer und an meinen Füßen und Beinen bewegte sich etwas. Das mussten die Schlangen sein, sie hatten mich erreicht.

Ich schrie nun wie am Spieß, Tränen liefen mir übers Gesicht. Es rumpelte und polterte, der Sockel, auf den ich mich geflüchtet hatte, bewegte sich. Ich hielt mich entsetzt an dem Sockel fest und kniff die Augen zu. Was ja eigentlich nicht nötig war, es war ohnehin so dunkel, dass man die Hand nicht vor den Augen sah.

Plötzlich war alles still. Und hell. Ängstlich öffnete ich erst ein Auge, dann das andere.

Ich war auf einmal in der Grabkammer, dem Herzstück der Pyramide. In der Mitte stand der Sarkophag des Pharaos.

Babsi lehnte lässig am Sarkophag und grinste mich schadenfroh an. »Ich hoffe, das war dir eine Lehre. Leg dich nicht mit mir an.«

Leo stand daneben und schaute mich eher besorgt an. »Alles okay?«

»Nichts ist okay«, kreischte ich, wischte mir die Tränen aus dem Gesicht, sprang von meinem Sockel und stürzte mich auf Babsi.

Es gab ein wildes Handgemenge, dabei wurde leider der Deckel des Sarkophags aus seiner Verankerung gerissen. Das beendete erst mal die Rauferei.

»Du Idiotin!«, schrie Babsi. »Schau nur, was du angerichtet hast! Das sag ich meinem Vater, dann fliegt deine Mutter im hohen Bogen raus und du gleich mit!«

Ich war echt erschrocken. Das wollte ich nicht.

Babsi lief auf den Ausgang zu, um zu ihrem Vater zu gehen und ihm alles brühwarm zu erzählen.

Aber Leo hielt sie zurück. »He, warte doch mal!«

Dass Leo ihren Arm berührte, erfüllte Babsi wohl mit Genugtuung und sie hielt inne.

Leo untersuchte den Deckel vom Sarkophag. »Da sind nur ein paar Drähte rausgerissen, das krieg ich wieder hin. Kein Problem.«

Babsi war unschlüssig. Sie schien sogar enttäuscht. »Bist du sicher?«, fragte sie Leo.

»Klar.« Er nickte.

»Aber er muss sich doch automatisch öffnen, wenn man die Grabkammer betritt.«

»Ja, ich muss nur die paar Drähte wieder richtig anbringen. Das ist `ne Kleinigkeit.«

Babsi überlegte. »Trotzdem. Ich muss das meinem Vater sagen«, entschied sie und stolzierte davon.

»Es tut mir echt Leid«, murmelte ich.

Leo machte eine wegwerfende Handbewegung. »Babsi ist ein blödes Huhn. Mach dir nix draus. Ich bring das in Ordnung und dann kann der Pfeiffenberger kommen und gucken. Wenn alles wieder funktioniert, kann er ja wohl nichts sagen, oder?«

Ich nickte.

Leo hatte den Deckel wirklich im Handumdrehen repariert. Dann führte er mir vor, wie alles funktioniert: Wenn man die Grabkammer betritt und zum Sarkophag geht, wird durch eine Lichtschranke der Mechanismus der elektronischen Mumie ausgelöst. Die Mumie schwebt langsam von hinten auf den Besucher zu, während der sich über den Sarkophag beugt. Der Deckel des Sarkophags schiebt sich langsam zur Seite, man schaut hinein, aber der Sarkophag ist leer. Keine Mumie. Die steht nämlich bereits hinter einem. Man hört einen schauerlichen Ton, man dreht sich um und die Mumie erhebt drohend die bandagierten Arme.

Es war echt klasse. Wenn man erklärt bekommt, wie das alles funktioniert, ist es auch überhaupt nicht gruselig. Nicht die Bohne.

Leo führte mir dann noch die anderen Spezialeffekte vor und zeigte mir den direkten Weg zur Grabkammer, den die Angestellten nehmen, wenn sie dorthin müssen. Das war der Weg, den Leo und Babsi vorhin gegangen waren, während Babsi mich den Weg des Schreckens hatte nehmen lassen. Dieses dumme Huhn.

Wir verließen die Pyramide.

»Und was machen wir jetzt?«, fragte ich.

»Ich glaube, für heute hattest du genug Aufregung. Ich denke, wir gehen nach Hause und spielen `ne Runde Halma«, meinte Leo.

Der Morgen, an dem eine Mumie ihren Kopf verlor

Am nächsten Morgen wachte ich auf, weil jemand laut vor sich hin sang. Ich war allein im Zimmer, also musste ich das wohl selbst gewesen sein. Offensichtlich hatte ich bereits blendende Laune, noch bevor ich aufgewacht war.

Meine Mutter war schon in ihrem Atelier, und da ich keine Verbotszettel fand, bedeutete das wohl, dass ich nicht mehr unter Arrest stand. Hurra, endlich wieder frei!

Ich sprang aus dem Bett und wollte meine Schnecken füttern. Da durchfuhr mich ein heißer Schreck. Meine Schnecken! Mein Koffer war weg. Verflixt, wo hatte ich den bloß hingeschlampt?!

Doch nicht etwa ... oh nein! Er stand wahrscheinlich noch in der Pyramide. Mist. Murks. Das musste sofort erledigt werden.

Also, Parole heimlich rausschleichen.

In solchen Dingen bin ich wirklich gut. Ich gelangte unbemerkt zur Pyramide. Am Eingang zögerte ich etwas. *Für Besucher zurzeit geschlossen*, stand da, aber das galt ja nicht für mich. Ich war keine Besucherin, ich war eine Schneckenretterin. Also rein.

Den Horrortrip von gestern wollte ich freiwillig nicht noch mal machen, außerdem war ich davon überzeugt, dass der Koffer in der Grabkammer stand. Beim Handgemenge mit Babsi und dem anschließenden Chaos hatte ich ihn wohl einfach vergessen.

Gott sei Dank kannte ich ja nun die Abkürzung und so stand ich schon nach ein paar Minuten in der Grabkammer. Und dann japste ich vor Schreck: Die Grabkammer sah aus, als wäre dort jemand Amok gelaufen.

Die funkelnagelneue Mumie lag quer über dem Sarkophag. Drähte und lose Mullbinden hingen überall an ihr herunter. Der Kopf saß schief. Der Deckel des Sarkophags war halb geöffnet, aber seitlich verschoben. Es sah aus, als würde er jeden Moment herunterfallen.

Im Sarkophag rumorte es und jämmerliche Laute drangen nach außen, die in dieser Atmosphäre wirklich schauerlich klangen. Im ersten Moment schauderte es mich. Der Fluch des Pharaos?

Ich nahm all meinen Mut zusammen und beugte mich langsam und vorsichtig über den halb geöffneten Sarkophag. Inzwischen war das Gejammere in ein Fauchen übergegangen. Ich beugte mich noch ein Stückchen tiefer.

Plötzlich sprang ein Kater aus dem Sarkophag, ganz knapp an mir vorbei.

Ich quietschte erschrocken auf, fuhr herum und stieß an die Mumie, die auf einmal drohend die Arme hochhielt.

»Aaahrg!«, machte ich nur, sprang zur Seite und trat fast auf den Kater.

Der Kater sprang vor Schreck auf die Mumie und krallte sich an ihr fest. Er machte einen Buckel und fauchte mich an. Die Mumie fing an zu rutschen und stürzte gemeinsam mit dem Kater vom Sarkophag. Dabei fiel ihr Kopf ab und traf den Kater. Der fauchte erneut, kreischte auf und sprang in seiner Panik wieder in den Sarkophag. Durch den Sprung des Katers gerieten die losen Drähte des Deckels wohl irgendwie aneinander und stellten einen Kontakt her. Der Deckel rumpelte und schob sich ein Stück zurück. Nun saß der Deckel fest. Schief. Aber fest.

Der Kater jaulte.

Ich war völlig mit den Nerven fertig. Was sollte ich tun?

Den Kater retten und abhauen. Ich schob den Deckel mühsam wieder etwas auf, befreite den Kater, klemmte ihn mir unter den Arm, nahm die Beine in die Hand und raste aus der Pyramide raus. Leider meiner Mutter direkt in die Arme, denn sie stand genau vor dem Eingang zur Pyramide. Da sie diesen mütterlichen Röntgenblick hat, wusste ich, dass ich mich auf keinen Fall auf ein Verhör einlassen durfte. Ich riss mich von ihr los und rannte weiter.

»Flippi«, rief sie, »halt, warte mal!«

Ich rief ihr über die Schulter zu: »Keine Zeit, wir spielen gerade ein supertolles Spiel!«

»Mit Katze?«

»Ja, Katzen waren doch heilige Tiere in Ägypten.«

Erst als ich im Garten von Lilienthals war, hörte ich auf zu rennen. Ich wollte gerade zur Terrassentür rein, da hörte ich Stimmen im Wohnzimmer. Ich drückte mich schnell an die Hauswand und lauschte.

»Und wieso will er sich schon wieder die Mumie anschauen?«, fragte Frau Lilienthal.

»Seine Tochter hat ihn angebettelt, dass er mit ihr mal hingeht und sie ihr vorführt«, antwortete ihr Mann.

»Okay, aber wieso sollen wir da auch alle antanzen?«

»Keine Ahnung, scheint auf Babsis Mist gewachsen zu sein.«

»Wie redest du denn, Ludwig!«, tadelte Frau Lilienthal ihren Mann.

Er seufzte. »Das Mädchen geht mir wirklich auf die Nerven. Sie mischt sich in alles ein und spielt sich auf, als ob ihr der Laden hier gehört!«

»Tut er doch«, entgegnete Frau Lilienthal, »sozusagen«, fügte sie dann noch hinzu.

»Sag mal, wo ist eigentlich unser anderes Sorgenkind?«

»Flippi?«, lachte Frau Lilienthal. »Die schlummert noch selig.«

»Gott sei Dank«, brummte Herr Lilienthal.

Hm. Damit war entschieden, dass ich nicht durch die Terrassentür in mein Zimmer gelangen konnte. Ich schlich ums Haus und stand dann vor dem Fenster des Gästezimmers.

Zu. Natürlich. Wenn man einmal im Leben ein offenes Fenster braucht!

Ich setzte mich ins Gras und streichelte den Kater. Er hatte sich inzwischen beruhigt und schien ganz anhänglich zu sein.

»Ich werde dich behalten. Und Ramses nennen. Weil ich dich in einem Sarkophag gefunden habe. Okay?«

Der Kater schnurrte. Das konnte nur Ja bedeuten.

Aber Ramses war dann doch nicht so anhänglich. Als nämlich Fidi um die Ecke kam und auf mich zulief, sprang der Kater mit einem Satz von meinen Armen und kletterte auf den nächsten Baum. Von oben fauchte er Fidi an. Der stand schwanzwedelnd drunter.

Ich ließ die beiden alleine und machte einen erneuten Versuch, durch die Terrassentür ins Haus zu gelangen. Ich hatte Glück. Herr Lilienthal war weg und Frau Lilienthal stand in der Küche mit dem Rücken zur Tür und trocknete gerade eine große Glasschüssel ab. Ich schlüpfte ganz leise zur Tür rein, setzte mich an den Küchentisch und wartete ab.

Endlich drehte sich Frau Lilienthal um. Aber statt dass sie sich freute mich zu sehen, schrie sie auf und ließ die Schüssel fallen.

»Flippi!«, stieß sie hervor. »Hast du mich erschreckt!«

»Aber was hab ich denn getan?«, fragte ich erstaunt. Jetzt mal ehrlich. Ich saß doch ganz brav da.

»Wie bist du denn hier reingekommen?«

»Durch die Tür«, sagte ich. Und das war ja wohl nicht gelogen.

Frau Lilienthal schüttelte den Kopf. Ich hatte das Gefühl, dass sie sich Sorgen um ihren Geisteszustand machte.

»Möchtest du frühstücken?«, erkundigte sie sich. Aber so, wie Frau Lilienthal mich das fragte, klang es nicht so, als würde sie mir wirklich gerne Frühstück machen.

»Nein«, meinte ich deshalb, »ich hab keinen Hunger.«

Das war gelogen. Ich hatte einen Bärenhunger. Wenn ich daran dachte, wie gut gelaunt sie am ersten Tag gewesen war und wie viel Essen sie mir damals angeboten hatte! So schnell verändern sich die Leute.

»Ach, hör mal, nachher gehen wir alle zur Pyramide. Herr Pfeiffenberger möchte uns seine neue Mumie vorführen. Wenn du Lust hast, komm doch mit, ja?«

Ich schluckte schwer, meinte aber tapfer: »Okay.«

Ich brauchte dringend Hilfe.

»Ist Leo schon wach?«, fragte ich.

»Leo?« Frau Lilienthal legte die Stirn in Falten, als ob sie nachdenken müsste, wer denn wohl Leo sei. »Ähm ... er, äh, nein.« Sie war eine schlechte Lügnerin.

»Er hat sich verdrückt?«, erriet ich.

Sie nickte und gab betreten zu: »Er trifft sich mit einem Freund.«

»Mist«, fluchte ich.

Frau Lilienthal schaute mich erstaunt an.

»Wann kommt er wieder?«

Sie zuckte die Schultern. »In ein, zwei Stunden. Ich weiß es nicht genau.«

»Dann können wir das vergessen«, murmelte ich.

Nun brauchte ich einen wirklich guten Plan. Ich ging in unser Gästezimmer und legte mich aufs Bett. Erst mal musste ich in meinem Kopf alles sortieren.

Also: Pfeiffenberger hatte eine Mumienvorführung angeordnet. Babsi hatte ihn dazu angestiftet. Wieso? Die Grabkammer war verwüstet. Wusste Babsi das? Wer hatte die Grabkammer so verwüstet? War es womöglich der Kater gewesen? Und was würde passieren, wenn Pfeiffenberger die

Grabkammer in dem Zustand vorfand? Vor allem *wem* würde was passieren?

Das war die einzige Frage, die ich sofort beantworten konnte: *Mir* würde was passieren. Man würde mir die Schuld geben. Und meine Mutter würde Ärger bekommen. Das war klar wie Kloßbrühe.

Und genau das musste ich verhindern. Wenn Leo da wäre, könnte er vielleicht alles wieder reparieren. Ja, Leo würde alles wieder in Ordnung bringen! Ging aber nicht, weil er nicht da war. Murks.

Wir brauchten dringend eine Mumie. Das war eindeutig das Hauptproblem. Wo bekam ich jetzt eine Mumie her?

Dann fiel mir was ein. Ich strahlte: Ich hatte eine ganz hervorragende Idee.

Ich würde Leo einen Zettel hinlegen und ihm die Sachlage schildern. Wenn er rechtzeitig nach Hause kam und den Zettel fand, konnte er die Mumie reparieren und alles wäre in Butter. Das war Plan A. Wenn nicht, trat Plan B, meine hervorragende Idee, in Kraft.

Also, erst mal Plan A, Brief an Leo:

Leo,

ich war heute Morgen in der Grabkammer. Die Mumie ist kaputt und der Sarkophag geht nicht mehr. Du musst es unbedingt reparieren, bevor der Pfeiffenberger kommt, sonst krieg ich riesigen Ärger und meine Mutter fliegt hier raus.

    Flippi

So, nun wusste er Bescheid.

    Ich schlich in Leos Zimmer, legte ihm den Zettel hin und sauste los, um Plan B vorzubereiten.

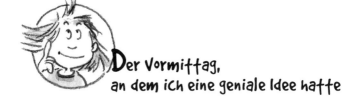

Der Vormittag, an dem ich eine geniale Idee hatte

Für Plan B brauchte ich Verbandszeug. Und zwar jede Menge.

Ich ging in die Küche zu Frau Lilienthal. Ich druckste etwas rum, aber es half nichts, ich musste sie schlicht und ergreifend danach fragen.

»Haben Sie Verbandszeug im Haus?«

Frau Lilienthal guckte erschrocken. »Hast du dich verletzt, Flippi?«

»Nein, nein. Nichts passiert.«

»Wofür brauchst du es denn?«

Ich seufzte. Wieso stellen Erwachsene bloß solche Fragen? Es führt nur dazu, dass man was sagen muss, was nicht so ganz stimmt.

»Für ein Experiment«, sagte ich.

Das beruhigte Frau Lilienthal nicht. »Oh«, machte sie ängstlich.

»Nichts Schlimmes. Ich will was basteln.«

Sie schaute immer noch nicht glücklich.

»Hat nichts mit Feuer zu tun und es wird auch keine Überschwemmung geben«, versuchte ich sie zu beruhigen.

»Ganz bestimmt?«

»Ja.« Ich nickte und versuchte glaubwürdig zu gucken. Meine Mutter musste die arme Frau Lilienthal ganz schön in Panik versetzt haben. »Ich wollte ein bisschen basteln. Aber wenn Sie wollen, kann ich natürlich auch fernsehen.«

Das war das entscheidende Stichwort.

»Aber nein, Flippi. Ist doch schön, wenn du bastelst. Ich hol dir was!«

Kurz drauf überreichte Frau Lilienthal mir einige Päckchen Verbandsmull. Leider zu wenige.

»Mehr haben Sie nicht?«

»Nein, tut mir Leid, das ist alles.«

»Und was ist mit dem Erste-Hilfe-Kasten in Ihrem Auto?«

Frau Lilienthal legte die Stirn in Falten. »Weißt du, den möchte ich lieber komplett lassen, man weiß ja nie.«

Okay, ich gab auf. War zumindest besser als gar nichts. Dann musste ich mich eben doch selbst um den Rest kümmern.

Im Vorratskeller fand ich jede Menge Toiletten-
papier und Küchenrollen. Die Küchenrollen hatten
fröhliche Aufdrucke von lachenden Tomaten, Gurken und Sellerie, auf dem Klopapier prangten
Blümchen.

Es war nicht wirklich perfekt. Aber ich konnte
mir jetzt nicht leisten, pingelig zu sein. Ich entschied mich für das Blümchen-Klopapier, weil ich
nicht genau wusste, ob es im alten Ägypten schon
lachende Tomaten, Gurken und Sellerie gegeben
hatte.

Da ich beschlossen hatte mich erst in der Pyramide zu verkleiden, stopfte ich den ganzen Vorrat
in mein T-Shirt. Okay, ich sah zwar aus wie das Mi-
chelin-Männchen, aber solche Opfer muss man
bringen.

Das nächste Problem war, wie ich aus dem Haus
kommen sollte. Auf keinen Fall durch die Terras-
sentür. Ich hatte keine Lust auf neugierige Fragen.
Also blieb mir nur eine etwas unwürdige Art das
Haus zu verlassen: nämlich durchs Fenster des
Gästezimmers.

Mein ausgestopfter Bauch stellte sich als ziemlich hinderlich heraus, aber es half nichts, ich
musste da durch. Natürlich rutschte mein T-Shirt
aus der Jeans und meine Beute verteilte sich teils

im Garten, teils im Zimmer. Ich verlor wertvolle Zeit, bis ich alles wieder eingesammelt hatte.

Dann rannte ich schnell in den Park. Mein Magen knurrte und mir fiel wieder ein, dass ich ja nichts gefrühstückt hatte. Ich lief zum Würstchenstand.

Das hätte ich besser nicht getan.

Ich wollte gerade bezahlen, da sagte eine Stimme neben mir zum Verkäufer: »Das kleine Mädchen muss nicht bezahlen. Es ist mein Gast!«

»Aber gern, Babsi«, meinte der Verkäufer unterwürfig.

Babsi! Meine Erzfeindin. Ich drehte mich zu ihr um.

Sie lächelte mich zuckersüß an. »Das ist deine Henkersmahlzeit! Guten Appetit!«

»Hör mal zu, wenn du glaubst, ich lass mir von dir was bezahlen, dann hast du dich«, ich überlegte kurz und änderte meine Meinung, »*nicht* getäuscht! Aber Danke sag ich nicht.«

»Hätte ich eh nicht von dir erwartet«, meinte Babsi bloß. Dann schaute sie auf mein ausgestopftes T-Shirt. »Vielleicht solltest du weniger essen«, empfahl sie mir, drehte sich um und zog davon. Blödes Huhn.

Ich steckte mein Geld in die Hosentasche zurück, da spürte ich die Skeletthand. Ich grinste. Dafür würde sich doch wohl irgendeine Verwendung finden!

Ich zog die Skeletthand raus, brach mein Würstchen in fünf Teile und steckte die Würstchenteile auf die fünf Knochenfinger. Sah eklig aus.

Dann lief ich hinter Babsi her und rief: »He, warte mal, Babsi! Ich hab mir's überlegt, ich würde mich doch gerne bedanken.« Ich lächelte sie unschuldig an.

Babsi war etwas verwirrt.

Ich streckte meine Hand, in der ich die Knochenhand versteckt hatte, aus und Babsi nahm automatisch meine dargebotene Hand. Ich drückte zu und ließ los.

Babsi schrie, als sie die Skeletthand mit den Würstchenteilen in ihrer Hand sah und ließ sie fallen. Ich lachte mich halb tot.

»Du eklige kleine Kröte, du!«, fauchte sie.

Ich krümmte mich vor Lachen. Dann fiel mir ein, wie ich es noch schlimmer machen könnte: »Das soll ich dir von Leo geben. Schönen Gruß auch.«

Babsi schaute mich empört an und wollte mich anschreien. Dann änderte sie ihre Meinung, bückte sich, hob schnell die Hand auf und meinte: »Über dich reg ich mich gar nicht mehr auf. In spätestens einer Stunde bist du Geschichte!« Sprach's und stapfte davon.

Bitte? Was meinte sie denn damit?

Als mir einfiel, was sie damit meinte, rannte ich blitzschnell in die Pyramide.

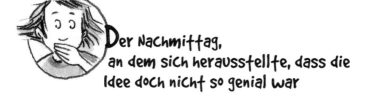

Der Nachmittag, an dem sich herausstellte, dass die Idee doch nicht so genial war

In der Grabkammer sorgte ich erst mal für Ordnung. Die Mumie legte ich in den Sarkophag. Ihren Kopf klemmte ich ihr unter den Arm, das sah klasse aus. Ich schob mühselig den Deckel drauf und blickte mich um. Alles paletti.

Dann begann ich damit, die paar Mullbinden um mich zu wickeln. Schon nach kurzer Zeit musste ich allerdings zum Blümchen-Klopapier übergehen. Es sah leider nicht so gelungen aus. Aber dann war ich eben 'ne Mumie aus irgendeiner etwas unbekannteren ägyptischen Provinz. Könnte ja sein, dass es da irgendwann mal Mode war, die Mumien in Blümchenstoff einzuwickeln. Wir tragen ja schließlich auch nicht alle dasselbe.

Abgesehen davon war ziemlich schummriges Licht. Es würde schon klappen. Babsis Vater sollte ruhig kommen, der würde staunen. Und Herr Lilienthal würde mir dankbar sein.

Ich hatte noch einen ganzen Schwung Klopapier übrig und überlegte gerade, was ich damit machen könnte. Da hörte ich plötzlich ein Geräusch und versteckte mich schnell hinter der Säule am Eingang, wo normalerweise die elektronische Mumie lauerte.

Die Geräusche kamen näher. Ich hielt die Luft an. Und stieß sie gleich wieder entsetzt aus.

»Fidi! Ramses!«, rief ich erschrocken. »Was macht ihr denn hier?« So ein Murks, das war jetzt aber blöd.

Die beiden jagten wie wild hintereinander her, immer um den Sarkophag herum. Mühsam und unbeholfen – immerhin war ich ja jetzt eine Mumie – fing ich den Kater ein. Ich hielt ihn fest und dann war mir klar, was zu tun war.

Fidi kam angelaufen und beobachtete mich neugierig. Als ich mit dem Kater fertig war, war Fidi dran. Das ging ruck, zuck, ich hatte ja schon Übung.

Stolz blickte ich meine beiden Hilfsmumien an. Sie sahen klasse aus, so ganz in Klopapier gewickelt. Zwei Mumien mehr. Außerdem waren sie nun gut getarnt und man konnte nicht mehr erkennen, dass es sich um Tiere handelte. Äh, na ja, also nicht sofort jedenfalls.

Aber wohin mit den beiden?

Natürlich in den Sarkophag! Wenn jemand den Deckel öffnete, entdeckte er in dem Sarkophag nicht nur *eine* Mumie, sondern gleich drei! Das wäre ein toller Effekt! Schnell setzte ich Fidi und Ramses in den Sarkophag.

Ich hatte wirklich gute Ideen! Womöglich bot mir Pfeiffenberger sogar einen Job in seinem Gruselpark an. Da würde Babsi aber ganz schön dumm gucken. Ha! Geschah ihr recht.

»Die Besucherzahl hat sich in den vergangenen Monaten deutlich erhöht, Herr Pfeiffenberger«, hörte ich auf einmal Herrn Lilienthals Stimme.

Schnell versteckte ich mich wieder hinter der Säule.

Herr Lilienthal betrat auch schon die Grabkammer, der Typ neben ihm war wohl Pfeiffenberger, Babsis Vater. Hinter den beiden kamen Frau Lilienthal und meine Mutter. Uh, auf meine Mutter hätte ich eigentlich verzichten können. Sie hatte bestimmt wieder was zu meckern.

Herr Lilienthal wirkte ziemlich nervös. Ich

wünschte, ich hätte ihn beruhigen können. Aber meine Rettungsaktion war ja als Überraschung gedacht.

»Wieso ist denn Ihr Sohn nicht hier, Herr Lilienthal?«, hörte ich eine quäkende Stimme.

Babsi! Auch das noch. Nun kam auch sie in die Grabkammer.

Sie blickte auf den Sarkophag und war ziemlich verblüfft. »Ja, aber ...«, begann sie, doch dann brach sie ab.

Herr Lilienthal räusperte sich. »Leo hatte keine Zeit.«

»Oh, für so etwas sollte er sich aber Zeit nehmen. Ich interessiere mich schließlich auch für den Beruf meines Vaters.«

So `ne Giftspritze!

Ich wartete noch auf den geeigneten Moment, um zu erscheinen.

»Deutlich erhöht hat sich die Besucherzahl«, wiederholte Herr Lilienthal.

»Hab ich schon gehört«, knurrte Pfeiffenberger. Dann sagte er voller Stolz: »Die neue Mumie ist ein elektronisches Wunder. Na, hat ja auch eine ganze Stange Geld gekostet.«

War das jetzt schon mein Stichwort?

»Los, Barbara«, befahl Pfeiffenberger, »geh mal

zum Sarkophag, damit das Gruselszenario seinen Lauf nehmen kann!«

Babsi war verunsichert. Sie trat an den Sarkophag, aber der Deckel öffnete sich nicht.

»Ist ja merkwürdig«, meinte Herr Lilienthal. »Da stimmt doch was nicht.«

»Ja, genau«, sagte Babsi, »irgendjemand hat sich hier wohl zu schaffen gemacht.« Zur Bekräftigung ihrer Worte schob sie den Deckel des Sarkophags zur Seite.

Das hätte sie besser nicht tun sollen. Denn ein in sich verbissenes Knäuel mit Blümchenaufdruck wurde herauskatapultiert. Babsi quiekte erschrocken auf, trat einen Schritt zurück, stolperte dabei über ihre eigenen Füße und fiel hin.

Meine beiden kleinen Klopapiermumien hatten sich inzwischen getrennt und sausten mit affenartiger Geschwindigkeit aus der Grabkammer. Pfeiffenberger war verwirrt. Er schaute den sich auflösenden Klopapierknäueln hinterher.

Vielleicht war das ja jetzt der geeignete Zeitpunkt für meinen Auftritt! Mit drohend erhobenen Armen stürzte ich aus meinem Versteck.

»Uuaaah!«, machte ich und wankte auf Pfeiffenberger zu.

Pfeiffenberger zuckte nicht mit der Wimper.

Ich rief: »Das ist der Fluch des Pharaos, ihr stört meine ewige Ruhe!«

Herr Lilienthal stöhnte laut auf. Er hatte mich erkannt. Meine Mutter ebenfalls. Sie hielt sich erschrocken die Hand vor den Mund. Frau Lilienthal wandte das Gesicht zur Seite, weil sie lachen musste.

Keine Reaktion von Pfeiffenberger.

Dann kam er auf mich zu. Ich stand mucksmäuschenstill da. Er beäugte mich und klopfte mir kräftig mit den Fingerknöcheln gegen den Schädel.

»Aua«, sagte ich und rieb mir den Kopf.

Herr Lilienthal suchte nach Worten. Ohne Erfolg.

Dafür fand Pfeiffenberger welche: »Die ist ja gar nicht echt!«

»Klar bin ich echt!«, rief ich.

Herr Lilienthal meinte hilflos: »Na ja, genau genommen ist sie wirklich echt ... «

»Das ist sie!«, kreischte Babsi, die immer noch am Boden lag. Sie wies mit dem Finger auf mich. Mist, sie hatte mich erkannt. »Das ist das Mädchen, von dem ich dir erzählt habe, Papilein.« Sie warf einen erneuten Blick in den Sarkophag. »Und hier ist die echte Mumie. Sie ist kaputt!«

»Steh jetzt erst mal auf, Barbara.«

Babsi rappelte sich hoch und mit einem Mal ging ein Leuchten über ihr Gesicht. Ich folgte ihrem Blick.

Da stand Leo, der Grund für Babsis gute Laune. Er war etwas außer Atem und hielt einen Zettel in der Hand. Meinen Zettel. Schnell stopfte er ihn in die Hosentasche.

»Ich kann alles erklären«, spielte Babsi sich auf. »Gestern war ich mit Leo in der Pyramide. Und da hat mich dieses Kind«, sie deutete mit ausgestrecktem Arm auf mich, »völlig ohne Grund angefallen. Und dabei ist die Mumie kaputtgegangen.«

»Stimmt das?«

»Nein!«, rief ich.

»Doch«, sagte Leo. »Ein paar Drähte hatten sich gelöst, aber das hatte ich gleich wieder repariert. Als wir rausgingen, war alles in Ordnung.«

»Na, dann war Flippi wohl anschließend noch mal hier und hat alles kaputtgemacht!«, rief Babsi trotzig.

»Als ich kam, war schon alles kaputt«, sagte ich.

Meine Mutter seufzte.

»Also warst du noch mal hier?«, erkundigte sich Pfeiffenberger bei mir.

»Ja, heute Morgen«, rief ich. Und um meine Geschichte glaubwürdiger zu machen, sagte ich: »Leo kann das bezeugen. Ich hab ihm einen Zettel geschrieben.« In meiner Mumienverkleidung wankte ich rüber zu Leo. »Gib mir mal den Zettel.«

Leo schüttelte unmerklich den Kopf. »Das ist keine gute Idee«, flüsterte er.

»Wieso denn?«, meinte ich. »Den kann jeder sehen!«

Zögernd zog Leo den Zettel aus seiner Hosentasche. Was hatte er bloß, der Zettel bewies meine Unschuld!

Pfeiffenberger nahm den Zettel und las ihn vor: »*Die Mumie ist kaputt und der Sarkophag geht nicht mehr. Du musst es unbedingt reparieren, bevor der Pfeiffenberger kommt, sonst krieg ich riesigen Ärger und meine Mutter fliegt hier raus.*«

Au Backe, das war wirklich blöd. Das klang tatsächlich so, als hätte ich das Chaos angerichtet.

Babsi nickte triumphierend. »Na bitte, hab ich doch gesagt.« Dann zog sie aus ihrer Tasche die Knochenhand mit den inzwischen verschrumpelten Würstchenteilen und reichte sie Leo. »Ich glaube, das gehört dir.«

Leo riss die Augen auf. »Das ist die Hand von meinem Garderobenständer!« Er schaute Babsi ärgerlich an. »Woher hast du die?«

Babsi lächelte freundlich. »Von Flippi. Sie hat sie mir vorhin überreicht. Mit einem schönen Gruß von dir.«

»Moment, das war aber anders!«, rief ich empört. »Ich wollte ...« Dann hielt ich inne. Es würde sich hier vor den Erwachsenen nicht gut anhören, wenn ich sagen würde: Ich wollte Babsi damit bloß zu Tode erschrecken.

Babsi drehte sich zu mir und funkelte mich an. »Hab ich sie von dir oder nicht?«

»Ja«, gab ich kleinlaut zu, »aber ...«

Leo blickte mich voller Verachtung an und sagte keinen Ton.

Pfeiffenberger räusperte sich. »Ich möchte jetzt keine vorschnellen Entscheidungen treffen. Herr Lilienthal, Frau Sonntag und ich werden uns zusammensetzen und in Ruhe darüber reden.«

»Aber Papilein!«, rief Babsi. »Die Sache ist doch völlig klar, du musst ...«

»Was muss ich?«, unterbrach Pfeiffenberger seine Tochter streng.

Babsi schwieg beleidigt.

Meine Mutter war blass und hatte ganz schmale Lippen bekommen, Herr Lilienthal machte ein unglückliches Gesicht. Nur in Frau Lilienthals Augen blitzte es, so als würde sie sich amüsieren.

Ich war eindeutig der Stein des Anstoßes. Das Beste war wohl, wenn ich mich so schnell wie möglich zurückzog.

Also ging ich. Na ja, ehrlich gesagt, ich rannte. Mühsam zwar, aber so schnell ich eben als Mumie die Flucht ergreifen konnte. Meine Mullbinden und das Klopapier lösten sich langsam und flatterten hinter mir her.

»Flippi«, rief meine Mutter, »komm sofort zurück!« Es klang nicht sehr freundlich.

Ich rannte schneller. Ich hatte genug. Draußen vor der Pyramide schob ich den Verband von meinem Gesicht und suchte nach Fidi und dem Kater.

Ramses saß auf einem Baum, die Hälfte der Mumienverkleidung hing an den Zweigen, Fidi stand drunter und wedelte mit dem Schwanz. Ich nahm Fidi unter den Arm, lockte Ramses vom Baum, klemmte ihn unter meinen anderen Arm und lief zurück zu Lilienthals Haus.

Das war's dann wohl. Meine Ferien waren im Eimer und der Job meiner Mutter war futsch. Aber ich konnte wirklich nichts dafür! Ich hatte mein Bestes gegeben.

Das Schlimmste von allem war allerdings, dass Leo wütend auf mich war. Alles nur wegen diesem blöden Babsi-Huhn.

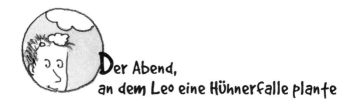

Der Abend, an dem Leo eine Hühnerfalle plante

Als ich bei Lilienthals im Garten ankam, setzte ich mich ins Gras und befreite Fidi und Ramses von den Resten der Mumienverkleidung. Erleichtert sprangen die beiden davon.

»Sag mal, was machst du bloß immer? Bist du völlig durchgeknallt?« Leo stand mit einem Mal hinter mir.

Ich war zu fertig, um ihn fertig zu machen, deshalb sagte ich nur: »Ist eine lange Geschichte. Und nur, dass du's weißt: Deine Babsi ist ein oberblödes Prinzess-Huhn.«

»Das ist nicht *meine* Babsi!«, empörte er sich.

»Wie auch immer.« Ich zuckte die Schultern. War mir ohnehin alles egal.

Ich begann meine eigene Mumienverkleidung abzuwickeln. Leo stand unschlüssig daneben.

»Meine Mutter ist unter Garantie gefeuert, dein Vater womöglich auch«, teilte ich ihm mit.

Leo legte die Stirn in Falten und nickte. »Wegen dir.«

»Was heißt hier wegen mir?«, ereiferte ich mich. »Ich hab damit nix zu tun! Das war deine saubere Babsi! Kannst dich bei ihr bedanken!«

Jetzt brüllte Leo zurück: »Kannst du das mal lassen, immer von *meiner* Babsi zu reden!«

Er wollte gerade weiterbrüllen, da hörten wir Stimmen und Schritte, die auf das Gartentor zukamen. Leo hielt inne und lauschte. Dann gab er mir Zeichen und wir versteckten uns schnell hinter einem Busch.

Wir hörten die erschöpfte Stimme meiner Mutter. »Am besten, ich packe unsere Sachen und wir gehen wieder. Es tut mir alles so Leid, Herr Pfeiffenberger.«

»Na, na«, meinte Pfeiffenberger, »so schnell schießen die Preußen nicht.«

»Hä?«, wandte ich mich an Leo.

»Pst«, machte der nur.

»Ich habe Sie ja nicht ohne Grund hierher geholt. Wir brauchen Sie. Ich möchte, dass Sie bleiben«, sagte Pfeiffenberger.

Meine Mutter schien Hoffnung zu schöpfen.

»Morgen ist die Wohnung fertig, dann ziehen wir um. Ich könnte meine Tochter ja dort einschließen?«

Na klasse, großartig! Meine Mutter verteidigte mich wirklich wie eine Löwin!

»Vielleicht müssen wir Flippi nur eine Aufgabe geben. Damit sie etwas zu tun hat«, schlug Herr Lilienthal vor.

»Ja. An so was in der Art hatte ich auch schon gedacht. Ich werde mir die Kleine morgen mal vornehmen. Ich laufe mit ihr durch den Park«, meinte Pfeiffenberger. »Wofür interessiert sich das Kind denn?«

Inzwischen waren sie an der Terrasse angekommen und gingen ins Haus.

»Für Schnecken«, hörte ich Herrn Lilienthal noch wie aus der Pistole geschossen sagen.

Da fielen mir meine Schnecken wieder ein und ich musste heulen.

Leo schaute mich unschlüssig an. Dann überwand er sich und meinte: »Jetzt heul doch nicht. So schlimm wird es schon nicht werden. Die beruhigen sich wieder.«

»Deshalb heul ich ja gar nicht«, schluchzte ich. »Es ist wegen meiner Schnecken. Sie sind weg. Der Fluch des Pharaos hat sie getroffen.«

Leo sagte müde: »Blödsinn! Die Schnecken hab ich.«

Ich war empört. »Was? Du hast meine Schnecken geklaut?«

Leo wurde wütend. »Jetzt halt mal die Luft an! Ausgerechnet du musst was von klauen sagen! Du hattest sie in der Pyramide vergessen, in der Spinnenkammer. Ich hab sie mitgenommen und hier ins Gartenhäuschen gestellt. Wollte ich dir heute Morgen sagen, aber du pennst ja immer bis Ultimo.«

Ich schluchzte noch mal kurz auf und fragte: »Ehrlich?«

»Ja.«

Ich wischte mir die Tränen aus dem Gesicht und lächelte Leo dankbar an. »Soll ich dir jetzt erzählen, wie alles in Wirklichkeit war? Mit der Grabkammer und der Mumie und der Hand von deinem Skelett?«

Leo zuckte die Schultern. »Ist doch eigentlich ziemlich klar. Du hast Mist gebaut.«

»Dann eben nicht«, meinte ich beleidigt.

»Na leg schon los«, meinte Leo friedfertig.

»Aber nur, wenn du versprichst, dass du mir glaubst!«

»Sag mal, wie kommst du eigentlich dazu, Bedingungen zu stellen? Du sitzt ganz schön in der Tinte und solltest froh sein, wenn überhaupt noch jemand mit dir redet!«

»Gut, dann lassen wir das.«

»Ist bestimmt besser so«, entschied Leo, stand auf und ging Richtung Haus.

Ich lief hinter ihm her. »Also, alles begann damit, dass ich ...«

Leo blieb stehen und grinste.

Ich hielt unschlüssig inne.

»Na erzähl schon, ich hör zu«, meinte er.

Ich erzählte, wie die ganze Katastrophe zustande gekommen war. Leo unterbrach mich kein einziges Mal. Er schüttelte nur ab und zu den Kopf, verdrehte die Augen und seufzte.

Als ich von Babsi und der Würstchen-Skeletthand erzählte, lachte er sich halb tot. »Ist ja klasse. Da hätte ich gern ihr Gesicht gesehen.«

»Sie hat ungefähr so geguckt«, berichtete ich und bemühte mich um eine gelungene Babsi-Imitation.

Leo lachte noch lauter.

Als ich dann aber fertig war mit Erzählen, schaute Leo ziemlich ernst. »Weißt du, was ich glaube? Ich glaube, Babsi hat die Mumie kaputtgemacht.«

»Was denn? Extra?«

Leo schaute mich verblüfft an. »Sicher extra, was denkst du denn!«

Ich war wirklich erstaunt. Also, mir geht ja ständig was kaputt. Aus Versehen. Aber man macht doch nicht extra was kaputt! Das gibt doch nur Ärger.

»Warum würde Babsi so was machen?«

»Damit du Ärger kriegst, du Nachteule!«

»Na, dann sagen wir einfach, dass ich es nicht war!«

»Ach ja! Und du denkst, das würde dir ein Mensch glauben?«

»Wieso denn nicht?«

Leo konnte sich kaum beherrschen. »Weil ohnehin immer was kaputtgeht, wenn du in der Nähe bist! Deshalb.«

Ich schaute Leo böse an.

»Lass es. Es stimmt«, warnte er mich.

Ich seufzte.

»Also müssen wir handeln. Zumindest von diesem Verdacht müssen wir dich reinwaschen.«

»Was willst du tun?«, erkundigte ich mich.

Leo lächelte böse. »Wir müssen Babsi eine Falle stellen.«

Ich war Feuer und Flamme. Das klang super.

»Ja, lass uns eine Falle bauen! Ich hab mal 'ne Falle für meine Schwester gemacht, eine mongolische Steppenfalle.«

Leo schaute mich verwirrt an.

Da dämmerte mir, was er gemeint hatte. »Natürlich keine echte Falle, wo denkst du hin!«, korrigierte ich mich sofort.

Leo grinste.

Ich war etwas verärgert. »Also, dann lass mal deinen schlauen Plan hören. Was soll ich tun?«

»Deine Aufgabe ist ganz leicht. Du musst morgen lediglich neben Pfeiffenberger herrennen. Häng dich an seinen Rockzipfel, weiche nicht von seiner Seite. Den Rest übernehme ich.«

Ich strahlte. Leo war wirklich nett. Nicht nur, dass er Schnecken rettete, nun würde er mich auch noch retten.

»Siehst du, du kannst ja doch nett sein zu Mädchen!«, teilte ich ihm mit.

»Noch so 'n Kommentar und du kannst die ganze Sache vergessen«, knurrte er.

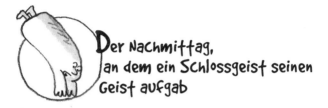

Der Nachmittag, an dem ein Schlossgeist seinen Geist aufgab

Leos Plan war genial.

Er wollte Babsi erzählen, dass ich Riesenärger bekommen hätte und nur noch auf Bewährung hier wäre, also vorerst bleiben durfte, aber sollte noch einmal etwas durch meine Schuld passieren, würde man mich für den Rest der Ferien zu meiner Tante schicken.

Und davon war leider kein Wort gelogen. Genau das hatte meine Mutter gestern Abend angedroht. Das Einzige, was Leo erfunden hatte, war, dass man mir angeblich ausdrücklich verboten hatte ins Geisterschloss zu gehen. Dort gebe es ja den elektronischen Geist, wollte er Babsi erzählen, und da es mir elektronische Teile besonders angetan hätten – siehe Mumie –, habe man mir verboten auch nur in die Nähe dieser neuen Errungenschaft zu kommen. Das war der Köder. Leo war sicher, dass Babsi ihn schlucken würde.

Ich sollte lediglich mit Pfeiffenberger den Schlossgeist besuchen und Pfeiffenberger nicht mehr von der Seite weichen, bis Leo mir ein Zeichen gab.

»Wenn Babsi wirklich so `ne miese Ratte ist, dann stellt sie was an und du bist von jedem Verdacht befreit. Dein Alibi ist sozusagen Pfeiffenberger.«

»Wow«, versuchte ich Leo zu folgen, aber so ganz verstand ich es nicht. »Erklärst du's mir noch mal?«

»Hast du's denn nicht kapiert?«

»Natürlich hab ich's kapiert. Ich hör es nur so gern.«

Leo schaute mich schief von der Seite an, dann fing er wieder von vorne an: »Also, wenn Babsi gestern die Mumie kaputtgemacht hat, um dir was anzuhängen, wird sie es mit dem Schlossgeist genauso machen.«

»Aha? Und das ist gut für mich?«

Leo atmete etwas genervt aus. »Ja. Weil du die ganze Zeit mit Pfeiffenberger zusammen bist, weiß er ja, dass du es nicht gewesen sein kannst.«

»Hey, klasse! Das ist ja genial!«

»Sag ich doch!«

»Und was ist, wenn der Geist nicht kaputt ist?«

»Dann war's gestern vielleicht doch der Kater. Aber einen Versuch ist die ganze Sache auf alle Fälle wert.«

Das fand ich auch.

Außerdem war mein Teil der Arbeit wirklich Kinderkram. Dachte ich.

Morgens stand ich unter Aufsicht von Frau Lilienthal, nachmittags holte mich Pfeiffenberger ab.

Meine erste Aufgabe war, ihn dazu zu bringen, mit mir zum Schloss zu gehen.

»So, also womit fangen wir an?«, fragte er freundlich.

»Mit dem Geisterschloss!«, rief ich schnell.

Aber noch während ich das sagte, sprach er bereits weiter: »Am besten mit dem Piratenschiff.«

Ich war etwas irritiert. Er hatte mich doch gefragt! Wieso fragt er mich, wenn er gar nicht an meiner Antwort interessiert ist!

»Ich fürchte mich aber vor Piraten«, sagte ich und versuchte ängstlich zu gucken.

»Na, dann ist es ja gut, dass ich bei dir bin. Ich kenne alle Piraten persönlich.«

Er setzte sich in Bewegung, ich lief unlustig hinter ihm her. Leo hatte gesagt, es wäre total wichtig, dass ich mit Pfeiffenberger direkt ins Schloss ging.

»Können wir drum knobeln?«, fragte ich ihn.

»Worum?«

»Wo wir zuerst hingehen. Sie wollen zu den Piraten, ich will ins Geisterschloss. Knobeln wir doch drum.«

Pfeiffenberger war ziemlich verblüfft, lachte dann aber und meinte: »In Ordnung!«

»Schere, Stein, Papier«, bestimmte ich schnell, bevor er irgendetwas anderes vorschlagen konnte.

Also blieben wir stehen, stellten uns einander gegenüber, ballten die Hände zu Fäusten und ließen sie gleichzeitig dreimal durch die Luft sausen.

»Eins, zwei, drei«, riefen wir gleichzeitig und bei drei hatte Pfeiffenberger Schere und ich Papier.

»Ha«, rief er, »Schere schneidet Papier, ich hab gewonnen!«

»Oh nein«, rief ich sofort, »nicht dieses Papier. Das ist ein neuartiges Kunstfaserpapier, das kann mit keiner Schere geschnitten werden.«

»Hm«, machte Pfeiffenberger, »gut, also noch mal. Eins, zwei drei.«

Ich hatte diesmal Schere, Pfeiffenberger Stein.

Pfeiffenberger schaute mich erwartungsvoll an. »Stein zerstört Schere, oder?«, sagte er.

Ich deutete auf seine Faust. »Das ist Sandstein. Ziemlich bröckelig. Wenn Sie einen richtigen Stein darstellen wollen, müssen Sie die Faust wesentlich fester ballen. Tut mir Leid für Sie, wieder verloren.«

Pfeiffenberger nickte.

»Noch mal?«, fragte ich.

Er schüttelte den Kopf. »Nein, du hast gewonnen, du bestimmst, wohin wir gehen. Aber nur mal so interessehalber, was wäre, wenn ich Papier hätte und du Stein? Wer hätte dann gewonnen?«

»Na, Sie natürlich. Papier wickelt Stein ein.«

Pfeiffenberger sah mich ungläubig an.

Dann gingen wir zusammen zum Geisterschloss. Leider erkannte mich der Henker.

»Ah, Fräulein Flippi? Wieder auf der Suche nach einer Unterkunft?« Dann erst sah er Pfeiffenberger. »Oh, guten Tag, Herr Pfeiffenberger. Wie geht es Ihnen?«

»Gut, gut«, brummte Pfeiffenberger.

Der Henker ließ uns rein.

»Woher kennt er dich?«, fragte Pfeiffenberger misstrauisch.

»Oh, ich war ... also, das war ... ein Missverständnis. Ist aber nichts passiert. Ehrlich. Nicht viel jedenfalls. Nichts ging kaputt.«

Pfeiffenberger schaute mich erwartungsvoll an.

Ich gab mich geschlagen. »Na ja, ich hatte gedacht, hier wäre vielleicht ein Zimmer frei, in dem ich wohnen könnte.«

»Du wolltest hier im Geisterschloss wohnen?«

»Ja. Ging aber nicht.«

Pfeiffenberger schüttelte den Kopf, so als wollte er die wirren Gedanken herausschütteln. »Du bist wirklich ein merkwürdiges Mädchen.«

»Tut mir Leid.«

»Warst du schon mal oben im Turmzimmer? Dort, wo der Schlossgeist spukt?«

»Nee, die haben mich gleich hier in der Halle geschnappt. Und dann musste ich wieder gehen.«

Pfeiffenberger versuchte nicht zu grinsen. »Na, dann wollen wir mal hoch ins Turmzimmer.«

Der Aufstieg in den Turm war gut. Die Treppenstufen ächzten und knarrten, manche gaben nach, sodass man sich voller Panik ans Geländer klammern musste. Hin und wieder huschten Ratten zwischen meinen Füßen durch, aber ich hab kein einziges Mal geschrien.

Dann waren wir oben angelangt. Die Tür zum Turmzimmer war verschlossen, es gab keine Klinke. Plötzlich sprang die Tür von selbst auf und man hörte leises Flüstern und unheimliches Kichern.

Vorsichtig traten wir ein. In der Kammer war es dunkel. Wie von selbst entzündeten sich ein paar schummrige Kerzen, flackerten und warfen lange Schatten. Die Dielen knarrten. Wind blies durch die kleinen Fenster, die unverglast waren. Obwohl es draußen taghell war, drang kaum Licht in den Raum. Ein erneuter Windstoß blätterte ein aufgeschlagenes Buch um. Alles war mit Staub und Spinnweben überzogen.

In der Kammer standen ein paar alte ausrangierte Möbel. Aus einem großen gepolsterten Sessel sprang uns plötzlich eine Ratte entgegen. Der Baldachin über dem Bett bewegte sich und mit schrillem Gekreische kam ein Schwarm Fledermäuse auf uns zugeflogen. Ich schrie und duckte mich, doch noch bevor sie meinen Kopf erreicht hatten, wechselten sie die Richtung und flogen zum Fenster raus.

Kaum war das Gekreische der Fledermäuse verstummt, da hörte man ein knarrendes Geräusch von einem alten Schrank. Eine der Türen öffnete sich und fiel mit Getöse zu Boden. Gleich darauf trat ein Skelett aus dem Schrank. Es lief ein paar Schritte auf uns zu, dann fiel es auf einmal klappernd in sich zusammen und ein Haufen Knochen lag am Boden. Ein erneuter Windstoß fegte durch den Raum und die Knochen setzten sich plötzlich wieder zu einem Skelett zusammen. Daraufhin verschwand das Skelett wieder im Schrank, die Tür hob sich wie von Geisterhand vom Boden hoch und knallte auf ihren alten Platz zurück.

»Mann, das ist ja toll«, stöhnte ich, damit Pfeiffenberger nicht merkte, dass ich mich ganz schön erschreckt hatte.

»Das ist noch nicht alles, warte mal ab«, warnte er mich.

Es ächzte und es stöhnte. Mir lief es kalt über den Rücken. Plötzlich kam wie aus dem Nichts der Schlossgeist auf mich zugesaust und überall im Raum ertönte schrilles Geheule und Gejammere. Ich hielt mir die Augen zu und schrie.

Der Geist berührte meine Haare, was mich noch mehr in Panik versetzte. Dann war es totenstill. Als ich die Hände vom Gesicht nahm, war der Geist verschwunden.

»Okay«, meinte ich mit zittriger Stimme, »das war klasse, wir können jetzt wieder gehen.«

Pfeiffenberger schmunzelte und ich stieg mit weichen Knien die Turmstufen hinab.

Als wir unten angelangt waren und um die Ecke

bogen, sprang uns ein wilder Geselle entgegen, der aussah wie eine Mischung aus Rumpelstilzchen und Knecht Ruprecht.

»Ha!«, rief er. »Keinen Schritt weiter, wenn euch euer Leben lieb ist! Gebt mir euer Gold.«

Ich ballte die Fäuste und ging in Angriffstellung.

Pfeiffenberger stellte sich schnell zwischen uns und verscheuchte den Gesellen. »Schon in Ordnung, alles klar. Sie machen Ihren Job prima.«

Der Typ stolperte etwas verwundert davon.

Pfeiffenberger drehte sich wieder zu mir um. »Das sollte ein Straßenräuber aus dem Mittelalter sein.« Sicherheitshalber fügte er noch hinzu: »Er tut nur so, er ist Schauspieler.«

»Na, das war mir schon klar. Aber er hat mich erschreckt.«

»Du ihn glaube ich auch«, sagte Pfeiffenberger. Dann grinste er. »Ich glaub, du weißt gar nicht, wie komisch du bist.«

Ich überlegte kurz, ob ich mich über diese Bemerkung freuen oder ärgern sollte. Aber eigentlich war Pfeiffenberger nett, ziemlich nett sogar. Ich konnte gar nicht fassen, dass er wirklich der Vater von Babsi sein sollte.

Wir liefen am Zuckerwattestand vorbei. Als der

Verkäufer mich sah, zuckte er zusammen und hielt den Ständer fest.

Pfeiffenberger war das nicht entgangen. »Möchtest du eine Portion Zuckerwatte?«

»Nee.« Ich schüttelte den Kopf.

»Magst du keine?«

Ich zuckte die Schultern. »Ich bin allergisch dagegen.«

»Seit wann?«

Ich schaute Pfeiffenberger vorsichtig an. Leise sagte ich: »Seit ich mal in den Ständer da gefallen bin.«

Er grinste. »Was hältst du davon, wenn ich dir eine Portion hole und du bleibst solange hier stehen?«

Ich strahlte ihn dankbar an. Pfeiffenberger ging zum Stand.

Da tippte mir jemand auf die Schulter. Leo.

»Alles klar?«, flüsterte er. »Ich glaube, unser Plan klappt. Ich hab Babsi erzählt, dass ihr Vater nachher mit dir ins Schloss gehen will, um dir den Geist zu zeigen. Kurz darauf meinte sie, sie müsse mal telefonieren, ich solle hier auf sie warten. Also, denk dran ...« Leo hielt erschrocken inne, denn plötzlich stand Babsi neben ihm.

Hatte sie etwas mitbekommen?

»Oh, schau mal, wer hier ist!«, sülzte sie mich an. Dann sah sie ihren Vater. »Papilein!«, rief sie, lief zu ihm und nahm ihm die Portion, die er für mich gekauft hatte, aus der Hand.

Pfeiffenberger blickte zu Leo und mir, kaufte noch zwei weitere Portionen und kam wieder zu uns.

Babsi hängte sich bei ihrem Vater ein. »Lass uns gemeinsam durch den Park laufen.«

Pfeiffenberger zuckte die Schultern. »Sicher, wenn du willst.«

»Zum Schloss, lass uns zum Schloss gehen, bitte!«, bettelte Babsi.

Pfeiffenberger schaute mich an. »Schloss?«

Ich nickte.

Babsi schaute ärgerlich, dann flüsterte sie ihrem Vater zu: »Wieso muss die denn mitkommen?«

»Wieso nicht?«

Babsi blitzte mich noch mal böse an, dann schien ihr etwas eingefallen zu sein, denn sie lächelte mich zufrieden an. »Ja, komm ruhig mit. Das passt hervorragend.«

Also liefen wir alle zusammen los. Wieder zum Geisterschloss.

Babsi war eifrig darauf bedacht, gleich zur Sache zu kommen. Schnurstracks und mit Tempo steuerte sie auf die Turmkammer zu, wo der Schlossgeist spukte. Oder vielmehr spuken sollte. Tat er aber nicht mehr.

Er hing wie tot mitten im Raum. Kein Ächzen, kein Stöhnen, kein schrilles Geheule und Gejammere. Nichts.

Pfeiffenberger kniff die Augen zusammen und betrachtete, ohne ein Wort zu sagen, das Szenario.

Leo schaute mich triumphierend an.

Aber irgendwie freute ich mich gar nicht so sehr, wie ich gedacht hatte. Im Gegenteil, ich freute mich genau genommen gar nicht. Pfeiffenberger tat mir Leid. Waren ja schließlich seine Sachen, die hier dauernd kaputtgemacht wurden.

»Was ist denn hier los?«, rief Babsi scheinheilig.

»Der Schlossgeist ist defekt«, teilte Pfeiffenberger knapp seiner Tochter mit. »Er muss repariert werden.«

»Ach«, machte Babsi und schaute mich an, »wie kommt denn so was?«

Ich zuckte betroffen die Schultern. Mir war auf einmal nicht ganz wohl bei der Sache.

»Warst du etwa hier im Schloss?«, fragte Babsi mich.

»Ja«, meinte ich, »aber ...«

Babsi stöhnte. »Das darf ja wohl nicht wahr

sein! Gestern die Mumie, heute der Schlossgeist, willst du uns ruinieren?«

Pfeiffenberger hatte die Stirn in nachdenkliche Falten gelegt. Er schaute mich an. »Diesmal trifft dich keine Schuld.«

»Na ja«, meinte ich kleinlaut.

Leo schaute mich entsetzt an.

Babsi deutete mit dem Finger auf mich und rief ihrem Vater zu: »Siehst du! Sie gibt es zu. Schon wieder hat sie was kaputtgemacht!«

Ich sagte leise: »Irgendwie ist es schon meine Schuld!«

»Wie bitte?« Leo verlor jetzt fast die Beherrschung.

»Na ja, also ...«, begann ich.

Pfeiffenberger war sehr verwundert. »Aber Flippi! Was redest du da? Du warst doch die ganze Zeit bei mir! Du kannst es gar nicht gewesen sein!«

Ich fühlte mich unwohl. Ich dachte, irgendwie hatten wir Babsi ja auf die Idee gebracht, den Schlossgeist kaputtzumachen. Und deshalb hatte ich ein ziemlich schlechtes Gewissen Herrn Pfeiffenberger gegenüber.

»Weißt du, wer es war?«, fragte Pfeiffenberger mich plötzlich.

Babsi wurde blass, Leo wartete gespannt.

Ich schüttelte den Kopf. Oh Gott, jetzt musste ich ihn auch noch anlügen!

»Sie war's!«, keifte Babsi und stampfte ärgerlich mit dem Fuß auf.

Pfeiffenberger reagierte nicht, sondern schaute mich weiterhin an.

»Nie glaubst du mir!«, rief Babsi wütend und stürmte aus dem Schloss.

Leo zischte mir zu: »Aus dir soll einer schlau werden!« Dann verschwand er ebenfalls.

Ich stand sehr betroffen da.

Pfeiffenberger betrachtete mich noch eine Weile und meinte dann: »Weißt du, ich hab da so eine Ahnung. Aber mit dir muss ich mich darüber wohl nicht unterhalten. Vielleicht rede ich mal mit meiner Tochter.«

Ich schaute ihn erschrocken an.

Er nickte. »Siehst du, ich hatte Recht.«

»Alles war bestimmt nur ein Versehen. Oder ein Missverständnis«, sagte ich schnell.

Pfeiffenberger atmete tief ein. »Treibt eure Streitereien nicht zu weit. Ihr zerlegt mir dabei noch meinen ganzen Park.« Dann seufzte er. »Komm, ich bringe dich jetzt heim.«

Wir liefen eine Weile schweigend nebeneinanderher.

»Seid ihr schon umgezogen?«, fragte Pfeiffenberger schließlich.

»Ja, seit heute sind wir in der Hausmeisterwohnung. Sie ist toll«, versicherte ich ihm, »und ganz trocken.«

Mit dem letzten Satz konnte er wohl nicht allzu viel anfangen. Ihm fehlte die Information, dass dort ein Wasserrohrbruch war. Aber egal. Er hielt mich ja ohnehin für merkwürdig.

Als wir vor unserer neuen Wohnung angekommen waren, stammelte ich: »Ich hab wirklich nicht ... also, ich meine, es war keine Absicht ... ich wollte das nicht ... es tut mir Leid.«

Pfeiffenberger nickte. »Also, eines ist mir heute klar geworden: Du bist einfach ein Magnet für Katastrophen. Aber du hast zumindest keine bösen Absichten.«

Ich zuckte die Schultern.

»Versuche dein Chaos auf ein Minimum zu reduzieren, okay? Ich rede jetzt mal mit deiner Mutter.«

Ich nickte schuldbewusst.

Der Abend, an dem meine Mutter Schneckensalat servierte

Nachdem Pfeiffenberger gegangen war, rief mich meine Mutter ins Wohnzimmer.

»Setz dich«, sagte sie und ich konnte mir schon denken, was jetzt kommt.

»Du bist gefeuert, stimmt's?«, kam ich ihr zuvor.

»Flippi, sei jetzt mal still und lass mich reden.«

Ich seufzte und setzte mich. Am besten, wir brachten das so schnell wie möglich hinter uns. »Es tut mir ganz arg Leid, Mami. Und ich kann auch kaum was dafür!«

»Flippi!«, zischte meine Mutter warnend.

»Okay, ich bin still«, bot ich sofort an.

»Also: Ich habe mich lange mit Herrn Pfeiffenberger unterhalten.«

»Allerdings. Sehr lange!«, rief ich. »Wie lange

braucht der denn, um zu sagen: Sie sind entlassen, Frau Sonntag!«

»Flippi!«, schrie meine Mutter. Ihre Stimme klang ziemlich schrill.

Ich hob beschwichtigend die Hände. »Okay, okay, ich halte jetzt den Mund.«

»Schön wär's«, murmelte meine Mutter leise. »Also: Herr Pfeiffenberger meinte, du wärst ... «, sie zögerte einen Moment, so als wolle sie es lieber nicht sagen, »ein ganz zauberhaftes Mädchen.« Sie schüttelte sich unmerklich, als sie »zauberhaft« aussprach. »Du wärst ungewöhnlich, ziemlich anstrengend, ein Magnet für Katastrophen ... «

Ich nickte eifrig. »Genau das hat er zu mir auch gesagt.«

» ... aber in einem sei er sich sicher: Du wärst nicht bösartig. Und was immer passiert ist, er sei überzeugt davon, dass du es nicht mit Absicht getan hättest.«

Ich strahlte. »Siehst du, das sag ich ... Entschuldigung.« Ich hielt mir erschrocken die Hand vor den Mund.

Meine Mutter nickte verzeihend. Sie war wohl schon etwas besser gelaunt. »Er denkt darüber nach, ob er etwas für dich hier im Park zu tun findet. Dann wäre der Schaden, den du anrichtest, wenigstens auf einen bestimmten Ort begrenzt, meinte er.«

»Also bist du nicht gefeuert?«

»Nein.«

»Na bitte. Hab ich doch gleich gewusst. Und du hattest immer so eine Angst! Also, ich denke ja …«

Meine Mutter unterbrach mich und griff sich an die Stirn. »Flippi, bitte sag jetzt nichts mehr. Ich hab dich sehr lieb, ich würde alles für dich tun, aber geh bitte einfach in dein Zimmer und spiele.«

»Kann ich auch in der Küche spielen?«

»Ja, egal wo, nur nicht in dem Zimmer, in dem ich bin«, sagte sie mit letzter Kraft.

Arme Mami. Ihr neuer Job scheint ziemlich anstrengend zu sein.

Nach einiger Zeit hatte meine Mutter sich wieder beruhigt und kam in die Küche.

»Weißt du was?«, sagte sie. »Ich finde, wir sollten die Lilienthals heute Abend zum Essen einladen. Als Dank dafür, dass wir bei ihnen wohnen durften. Wir schulden ihnen wirklich was. Sie hatten ja doch einigen Ärger und Aufregung durch uns.«

»Magst du deinen Job hier?«, erkundigte ich mich.

Meine Mutter strahlte. »Oh ja. Kostüme für den Gruselpark zu entwerfen ist eine tolle Aufgabe. Und ich habe nette Mitarbeiter. Herr Lilienthal lässt mir freie Hand und macht mir keine Vorschriften. Außerdem verdiene ich mehr Geld als beim Theater. Es ist perfekt.«

»Na, dann finde ich es aber sehr mutig von dir, dass du sie zum Essen einladen willst.«

Meine Mutter schaute mich groß an. »Wovon redest du?«

Himmel! Vergisst diese Frau denn jedes Mal, dass sie gar nicht kochen kann? Aber so deutlich wollte ich dann doch nicht werden.

»Was wirst du denn kochen?«, fragte ich deshalb nur.

Nun verstand meine Mutter, sie lachte. »Um Gottes willen, ich koche doch nicht! Ich bestell Pizza und vorher gibt's Salat. Und ich werde ja wohl in der Lage sein, Salat klein zu schneiden.«

»Und die Soße?«

»Welche Soße?«

»Die Salatsoße!«

»Ach! Stimmt. Hm. Gibt's denn da nichts Fertiges? Ganz sicher gibt's das. Ich hol gleich was im Laden.«

Problem gelöst.

Anschließend telefonierte sie mit Frau Lilienthal.

»Aber nein, das macht mir keine Mühe«, beteuerte meine Mutter. »Ich hab Pizza bestellt.«

Ich weiß nicht, was Frau Lilienthal sagte, jedenfalls meinte meine Mutter etwas unsicher: »Das ist doch okay, oder? Und es gibt Salat. Mit Soße.«

Es schien okay zu sein. Lillienthals versprachen vorbeizukommen.

Ich wollte gerade meine Schnecken auspacken und mit ihnen spielen, da läutete es an der Tür.

Ich hörte, wie meine Mutter sagte: »Sie ist in der Küche.«

Leo kam zur Tür reingestürmt und polterte gleich los: »Sag mal, du spinnst wohl! Ich mach mir die Mühe, einen total genialen Plan auszuhecken, verbringe Stunden mit dem Babsi-Huhn und dann erzählst du solchen Quark von wegen, es wäre deine Schuld! Du bist ja wohl oberdämlich!«

»Dann bin ich eben dämlich!«, rief ich trotzig und hob den Schneckenkoffer auf den Küchentisch. Der Tisch war ziemlich voll, weil meine Mutter das Abendessen bereits vorbereitet hatte und der Brotkorb und die Schüssel mit Salat schon bereitstanden.

Meine armen Schnecken, die hatte ich völlig vernachlässigt. Aber offensichtlich hatten sie mir es nicht übel genommen. Sie schleimten fröhlich über- und untereinander her, kamen aus dem Koffer rausgekrochen und waren alle putzmunter.

Leo betrachtete die Schnecken und mich. »Du hast echt `ne Vollmeise.«

»Und das sagt ausgerechnet ein Schneckenretter!«

»Was hast du denn ständig mit deinem Schneckenretter?«

»Also, magst du nun Schnecken oder nicht?«, wollte ich ein für alle Mal wissen.

Leo zuckte die Schultern. »Ja. Aber deswegen renn ich noch lange nicht mit einem Koffer voller Schnecken durch die Gegend.«

Ich winkte ab. »Das musst du auch nicht. Das mach ich ja schon.«

Aus dem Wohnzimmer rief meine Mutter durch die geschlossene Tür: »Flippi, halte bloß deine Schnecken aus meiner Küche fern!«

Ich erschrak. Murks! Das hatte meine Mutter schon vor etwa zehn Minuten zu mir gesagt, als ich mit dem Schneckenkoffer in der Küche erschienen war. Dass ich mir so was aber auch nicht merken konnte!

In völliger Panik versuchte ich die Schnecken wieder einzusammeln und den Koffer vom Tisch zu zerren. Bei der Hektik fiel die Salatschüssel um und der Salat flatterte über den ganzen Tisch.

Es klingelte an der Haustür. Jetzt geriet ich vollends in Panik. Das waren Lilienthals, die zum Abendessen kamen. Ich raffte den Salat zusammen und warf ihn wieder in die Schüssel.

Leo hatte mich die ganze Zeit über kopfschüttelnd beobachtet.

Meine Mutter öffnete währenddessen die Wohnungstür und begrüßte Leos Eltern.

Irgendwie sah es tatsächlich so aus, als würde alles gut gehen und der Tag einen harmonischen Abschluss finden. Die Pizza wurde rechtzeitig geliefert, ich hatte mein Saftglas bisher nur ein einziges Mal umgeschüttet und meine Mutter hatte noch nicht »Flippi, benimm dich!« zu mir gesagt.

Wenn nicht … also, ich wusste auch nicht genau, wie das gekommen war. Als wir alle am Tisch saßen und meine Mutter gerade den Salat verteilen wollte, starrte sie in die große Salatschüssel und schrie laut und gellend auf.

Dann drehte sie postwendend den Kopf zu mir. »Flippi!«, herrschte sie mich an.

»Was denn?«, fragte ich erstaunt.

Meine Mutter hielt mir die Salatschüssel hin.

»Oh«, machte ich schuldbewusst, als ich reinsah.

Zwischen den Salatblättern saßen gemütlich kauend etwa fünf meiner Kampfschnecken. Wie war denn das jetzt wieder passiert?

»Das ist ja ekelhaft, Flippi. Was hast du dir denn dabei gedacht?«, rief meine Mutter und ihre Stimme wurde immer schriller.

»Das war ich«, meinte Leo.

Alle schauten ihn ungläubig an. Ich auch.

Er deutete mit dem Kopf auf mich und meinte bekräftigend: »Sie kann nichts dafür.«

»Oh«, machte meine Mutter verblüfft. Dann schaltete sie um und sagte: »Na, ist ja nicht so schlimm.« Dann lachte sie sogar. »Mit so was muss man wohl rechnen, wenn man in einem Gruselpark lebt.«

Herr Lilienthal legte die Stirn in Falten, aber Frau Lilienthal lachte laut.

Ich schaute zu Leo rüber. Er grinste. Ich war ihm echt dankbar. Noch mehr vorwurfsvolle Blicke und das leidende Gesicht meiner Mutter hätte ich nicht ertragen.

Ich würde mir was richtig Nettes für Leo einfallen lassen müssen.

Wo Flippi auftaucht, ist für Chaos gesorgt

Flippis geheimes Tagebuch – Chaos im Teufelsmoor

176 Seiten · Illustrationen v. Dorothea Tust
ISBN 978 3 522 17590 6

Alles könnte so schön sein. Flippi ist im Teu-felsmoor gelandet und freut sich auf Grusel-Abenteuer. Aber Pustekuchen. Weit und breit nichts als öde Moorlandschaft. Doch dann hört Flippi plötzlich merkwürdige Geräusche. Treibt hier vielleicht etwa ein Moorgeist sein Unwesen?